LES ÉDITIONS LA SEMAINE
Charron Éditeur inc.
Une société de Québecor Média
1055, boul. René-Lévesque Est, bureau 205
Montréal (Québec) H2L 4S5

Directrice des éditions : Annie Tonneau
Directrice artistique et couverture : Lyne Préfontaine
Coordonnateur aux éditions : Jean-François Gosselin

Réviseurs-correcteurs : Nathalie Ferraris, Nicolas Whiting, Audrey Faille
Infographie : Marylène Gingras

Les propos contenus dans ce livre ne reflètent pas forcément l'opinion de la maison d'édition.

L'éditeur bénéficie du soutien de la Société de développement des entreprises culturelles du Québec (SODEC) pour son programme d'édition.

Nous reconnaissons l'aide financière du gouvernement du Canada par l'entremise du Fonds du livre du Canada pour nos activités d'édition.

REMERCIEMENTS
Gouvernement du Québec (Québec) — Programme de crédit d'impôt pour l'édition de livres — Gestion SODEC

© Charron Éditeur inc.
Dépôt légal : deuxième trimestre 2015
Bibliothèque et Archives nationales du Québec
Bibliothèque et Archives Canada

ISBN : 978-2-89703-296-8

Le blogue de Namasté

> Toute bonne chose
a une fin

DISTRIBUTEURS EXCLUSIFS

- Pour le Canada et les États-Unis :
  MESSAGERIES ADP*
  2315, rue de la Province
  Longueuil (Québec) J4G 1G4
  Tél. : 450 640-1237
  Télécopieur : 450 674-6237
  * une division du Groupe Sogides inc.,
  filiale du Groupe Livre Québecor Média inc.

- Pour la France et les autres pays :
  INTERFORUM editis
  Immeuble Paryseine, 3, Allée de la Seine
  94854 Ivry CEDEX
  Tél. : 33 (0) 4 49 59 11 56/91
  Télécopieur : 33 (0) 1 49 59 11 33

  Service commande France métropolitaine
  Tél. : 33 (0) 2 38 32 71 00
  Télécopieur : 33 (0) 2 38 32 71 28
  Internet : www.interforum.fr

  Service commandes Export –
  DOM-TOM
  Télécopieur : 33 (0) 2 38 32 78 86
  Internet : www.interforum.fr
  Courriel : cdes-export@interforum.fr

- Pour la Suisse :
  INTERFORUM editis SUISSE
  Case postale 69 – CH 1701 Fribourg – Suisse
  Tél. : 41 (0) 26 460 80 60
  Télécopieur : 41 (0) 26 460 80 68
  Internet : www.interforumsuisse.ch
  Courriel : office@interforumsuisse.ch

  Distributeur : OLF S.A.
  ZI. 3, Corminboeuf
  Case postale 1061 – CH 1701 Fribourg – Suisse

  Commandes : Tél. : 41 (0) 26 467 53 33
  Télécopieur : 41 (0) 26 467 54 66
  Internet : www.olf.ch
  Courriel : information@olf.ch

- Pour la Belgique et le Luxembourg :
  INTERFORUM BENELUX S.A.
  Fond Jean-Pâques, 6
  B-1348 Louvain-La-Neuve
  Tél. : 00 32 10 42 03 20
  Télécopieur : 00 32 10 41 20 24

Maxime Roussy

Le blogue de Namasté

> Toute bonne chose
a une fin

ÉDITIONS
LASEMAINE

Une société de Québecor Média

Au Moyen-Âge,
les hommes portaient
des collants.
La preuve :

Namxox

> Qui a volé les 1456 $?

La réponse à cette question qui me tarabuste depuis plusieurs jours est : je ne le sais pas.

Mille quatre cent cinquante-six dollars étaient dans mon casier verrouillé, et ils sont disparus sans laisser de trace.

Est-ce que ce mystère sera un jour résolu? J'en doute.

Le plus difficile à digérer, ce n'est pas le vol, mais le fait que cet argent était destiné à une jeune femme souffrant d'un cancer généralisé. Quel énergumène à l'âme pourrie recouverte d'asticots grouillants est assez cruel pour s'attaquer à une personne dans la vingtaine qui s'apprête à mourir d'une saloperie de cancer?

Et qui a prémédité son geste au point de remplacer mon cadenas par un autre pour ne pas éveiller les soupçons?

Qui?!

Note : il s'avère que la pauvre femme cancéreuse n'en est pas une. Ça ne change rien au fait que le voleur n'a pas d'éthique.

Contrairement à Robin des bois.

Ce personnage porte peut-être des collants, il s'habille peut-être tout de vert forêt, et son prénom est peut-être Robin, mais au moins, il vole aux riches pour donner aux pauvres.

Pas l'inverse !

(...)

Cet après-midi, Tintin, Fred, Kim et moi devions subtiliser à Robocop, le gardien de sécurité de l'école, le carnet qu'il range dans la poche avant de sa chemise.

Carnet dans lequel il conserve apparemment des informations d'une importance CAPITALE. Des exemples ?

Il possède des renseignements confidentiels sur :

- La personne qui a véritablement assassiné John F. Kennedy le 22 novembre 1963 à Dallas ;
- La construction des pyramides d'Égypte ;
- Le mystère du Triangle des Bermudes ;
- La théorie voulant que les rôties tombent toujours du côté tartiné ;
- Le monstre du Loch Ness.

Toutes ces informations sont dans un carnet de moins de cent pages que Robocop tient tout près de son cœur.

Ceci dit, Robocop sait-il qu'Internet existe ? 😔

Parce que ça fait un fichu de grand bout de temps qu'on a les réponses à ces mystères :

- C'est Lee Harvey Oswald qui a tué John F. Kennedy ;
- Les pyramides d'Égypte ont été construites par des Égyptiens motivés (deuh !) ;
- Il n'y a pas plus d'accidents d'avion dans le Triangle des Bermudes qu'ailleurs ;
- Les rôties tombent du côté tartiné parce qu'il est plus lourd ;

– Robert Kenneth Wilson, le premier homme à avoir pris une photo du supposé monstre du Loch Ness, a révélé sur son lit de mort qu'il s'agissait d'une supercherie ; personne ne possède de preuve irréfutable de l'existence de la bête des mers.

Mais chut ! il ne faut pas le dire à Robocop. Il faut préserver son innocence.

Qui veut briser le rêve d'un pauvre homme qui prend plaisir à terroriser les ados ignorants que nous sommes en leur confisquant leur casquette, leur téléphone cellulaire, ou en mesurant les jupes des filles au printemps pour s'assurer qu'elles respectent le code de décence ?

Personne. ☺

Revenons à nos moutons.

Nous voulions avoir accès aux enregistrements des caméras de surveillance de l'école. Selon un contact de Tintin, pour y parvenir, il faut un nom d'utilisateur et un mot de passe. Où sont-ils ? Dans le carnet de Robocop.

Notre plan était parfait : pendant que Robocop ferait sa tournée à l'heure du lunch, je foncerais accidentellement (mettons) sur lui avec un cabaret rempli de verres d'eau. Je m'excuserais alors profusément, puis Kim et moi profiterions de la situation pour subtiliser le fameux carnet.

S'il y avait un prix Nobel pour les crimes parfaits, on l'aurait remporté haut la main.

Sauf que dès que mon frère est impliqué de près ou de loin dans un projet, ça ne se passe JAMAIS comme prévu.

Il a plutôt décidé de ne faire qu'à sa tête et d'allumer une bombe fumigène dans la cafétéria, arme qu'un de ses amis fabrique dans ses temps libres parce que collectionner des timbres ou des roches, c'est pas assez *groovy* pour lui. J'imagine.

Et Fred ne s'est pas contenté d'une toute petite bombe. Il en a allumé une super grosse.

De sorte qu'on ne voyait plus rien dans la cafétéria.

Et que ça a causé une petite panique qui s'est soldée par une évacuation en règle de l'école à l'aide de super beaux pompiers qui, à ma grande surprise, n'étaient pas torse nu.

– Pourquoi les pompiers seraient torse nu? m'a demandé Kim alors que nous les regardions entrer dans l'école. Nous sommes en plein hiver. Et ils pourraient facilement se blesser avec le feu.

– Pourquoi ils sont torse nu sur les calendriers qu'ils vendent au dépanneur?

– Pauvre Nam, t'es tellement naïve. Ce sont des calendriers pour les matantes. Tu sais, pour les émoustiller.

– C'est de la fausse représentation. Je suis déçue.

Elle a pointé l'un des pompiers, qui devait avoir cinquante ans passés et qui était légèrement bedonnant.

– Lui, tu voudrais le voir torse nu?

– Ark, non. Franchement. Seulement les hommes jeunes et musclés devraient travailler à moitié nus.

Jusqu'à ce que la fumée soit évacuée, tous les élèves ont été entassés dans le sous-sol de l'église située à une centaine de mètres de l'école.

Reste que Fred est parvenu à mettre la main sur le carnet de Robocop. Et on y a découvert des trucs franchement étonnants.

Je vais préparer le souper.

Publié le 4 mars à 18 h 26
Humeur : déçue

> ## > Le contenu du fameux carnet

Le MÉGA party que Fred a organisé en fin de semaine pour ramasser de l'argent afin de financer son film à un million de dollars et dont le titre officiel est *La revanche du nain géant II* ne m'inquiète plus du tout. Pourquoi ? Parce que c'est devenu une blague.

Il n'est pas parvenu à retirer l'invitation des réseaux sociaux, mais il l'a modifiée pour la rendre la plus absurde possible. Assez pour que les gens qui la lisent soient outrés qu'on tente si grossièrement d'abuser de leur naïveté.

Ça a donné :

« MÉGA party chez moi. Venez en apprendre plus sur le film le plus stupéfiant depuis *Titanic : LA REVANCHE DU NAIN GÉANT II*. Au programme : un bébé dragon qui crache des étincelles *TROP CUTE !*, un D.J. à deux têtes et un enfant de huit ans grassouillet qui fait des bulles avec sa salive. »

Résultat ? De plus en plus de personnes affirment qu'elles vont participer à la fête. La dernière fois que j'ai vérifié, elles étaient plus de dix mille.

L'invitation de Fred est devenue virale.

Insensé.

Même si dix pour cent des gens se présentent, ce sera la catastrophe.

Je laisse aller. Je suis devenue zen.

Je fais confiance à l'intelligence des gens.

(Ne fais pas ça, Namasté, les gens ne sont pas intelligents!)

Hein? Qui a parlé?

Personne? J'étais sûre qu'on m'avait interpelée.

(…)

Le carnet, maintenant.

On l'a regardé dans le local des Réglisses rouges, avant de se rendre dans le sous-sol de l'église.

Page après page, il n'y a que des jeux de Tic-tac-toe. Tout ça pour ça.

Et des dessins plutôt réussis de sirènes mâles.

Genre avec une grosse barbe, une coupe de cheveux approximative, des bretelles, une pipe et des lunettes impossibles.

Bref, le haut d'un *hipster* avec le bas en queue de poisson.

Je ne sais pas ce qui est le plus troublant: jouer seul au Tic-tac-toe (et perdre!), ou gribouiller des sirènes masculines dans différentes positions?

Je ne sais pas pourquoi je pose la question: c'est clairement la créature aquatique hybride mâle. ☹

Il y en a une qui construit un meuble IKEA.

Une autre qui change l'huile de sa tondeuse.

Et une autre qui lance un javelot.

J'ai laissé tombé le carnet.

Un frisson de peur a traversé ma colonne vertébrale.

Mon visage a blanchi comme s'il venait d'être frotté à l'eau de Javel.

– Qu'est-ce qui se passe ? m'a demandé Tintin.

Il a feuilleté le carnet. Il a sifflé.

– Whoâââ. Je croyais qu'être une fille dans un corps de gars était *weird*, mais ce gars-là bat tous les records.

– Montre, a demandé mon frère.

Fred a regardé les dessins, puis sa peau a pris une teinte verdâtre. Il s'est mis à avoir des spasmes, et il a sorti la langue comme s'il allait vomir. Il s'est précipité au-dessus de la poubelle.

– Voyons, a dit Kim, ce ne doit pas être si pire !

Kim a parcouru le carnet, et elle a dû s'assoir parce que tout tournait autour d'elle. Son cœur battait la chamade, elle avait chaud et ses mains étaient moites. Il a fallu qu'elle respire dans un sac de papier pour abaisser le taux d'oxygène dans son sang.

C'est grave : on croise Robocop tous les jours !

Il m'est même arrivé de le frôler et de lui parler !

– On fait quoi ? j'ai demandé.

– On brûle le carnet et on n'en parle à personne, a dit Fred entre deux haut-le-cœur. Ce sera le terrible secret qu'on va traîner jusqu'à notre mort.

Tout le monde a été d'accord, sauf que je me suis ravisée quelques instants plus tard.

– On n'a pas à juger de ses obsessions. Il faut lui remettre son carnet.

Fred a levé les bras en l'air.

– Moi, je ne touche pas à ça !

– Moi non plus, a dit Kim entre deux inspirations dans le sac de papier.

– Je vais le faire, a dit Tintin.

Il a quand même pris des précautions : avant de saisir le carnet, il a recouvert son nez et sa bouche avec son chandail, et il a utilisé des ustensiles en plastique qui traînaient dans le local pour le manipuler. Il l'a placé dans un sac, qu'il a refermé rapidement.

Je dois m'enlever ces images de la tête. Il le faut !

Finalement, on n'a rien trouvé, sauf du matériel à cauchemars jusqu'à la fin des temps.

On repart à zéro. ☹

Qui a volé les mille quatre cent cinquante-six dollars ?

(…)

Évidemment, Fred est dans la *schnoute*.

Grâce à sa brillante idée, il y a eu une évacuation complète de l'école, des dizaines de pompiers en torse non-nu ont été appelés, et on a manqué la première période de l'avant-midi.

Pour l'instant, mon frère n'a pas été interpelé par le directeur, mais il a affreusement peur.

– Arrête, je lui ai dit pendant qu'on mangeait des nouilles à la margarine (ma spécialité). Pour l'instant, personne ne te suspecte. T'as été subtil, j'espère ?

– Euh… Subtil ? Tu veux dire quoi ?

– Est-ce que des gens t'ont vu ?

– Eh bien, euh, pas sûr.

– Tu l'as allumée où, cette bombe ?

– Dans mon assiette à poutine, sur mon plateau.

Dès que j'ai vu Robocop entrer dans la cafétéria.

– Ton assiette à poutine ?

– Ouais. Et j'ai promené la bombe.

– Promené ?

– Je voulais aller me plaindre à la responsable de la cafétéria. Genre lui dire que ma poutine réagissait bizarrement. Je voulais un remboursement.

– Donc, des gens t'ont vu à la cafétéria te promener avec la bombe sur un plateau ?!

– Ouais. Et j'ai aussi crié. Genre pour dire que c'était un scandale, la bouffe qu'on nous servait. Parce qu'elle produisait des émanations cancérigènes. Et que nous, les élèves, étions traités comme des cobayes. J'ai fait une critique sociale.

– Donc, tout le monde t'a vu.

– La bombe produisait énormément de fumée. J'avais la tête dedans. Donc, euh, je ne pense pas.

– Et il s'est passé quoi après ?

– Je n'arrivais plus à respirer, donc j'ai laissé tomber le plateau et je suis parti en courant.

– Et là, tu n'avais plus la tête dans le nuage de fumée.

– Non.

– Donc, tout le monde t'a vu.

– Peut-être. J'ai fait comme si j'étais aveuglé et j'ai foncé dans Robocop. Et je lui ai pris son carnet.

J'ai posé une main sur l'épaule de mon frère.

– Ça va aller, Fred. Tu ne vas pas te faire prendre.

C'est Mom au téléphone !

* * * * * * * * * * * * * * * * * * * *

Tout pour une fête réussie !

Party Pro est le chef de file dans la location d'accessoires afin de combler vos invités. Vous organisez un mariage médiéval ? Nous avons des costumes de chevaliers, de princesses et de gueux édentés, puants et atteints de la peste noire. Aussi, comme clou de la soirée, il est possible de louer une sorcière et un bûcher. Une fête d'enfant ? Nous avons des jeux gonflables qui se dégonflent constamment et qui sont couverts de taches suspectes, des clowns épeurants qui font des ballons qui ne ressemblent en rien à des animaux et, si votre marmot n'a pas beaucoup d'amis, nous pouvons vous en fournir (vous n'y verrez que du feu, il sont parfaitement mal élevés, ingrats et insupportables). Party Pro, c'est ce qu'il vous faut !

www.ilarrivequenosclownsmordent.com

* * * * * * * * * * * * * * * * * * *

Il est à moi !

Namxox

Publié le 4 mars à 21 h 20
Humeur : câline

> **ALERTE CROQUIGNOLE**

OMG OMG OMG 😯

Je me suis dit que j'allais me coucher tôt ce soir, mais je viens de tomber sur le plus mignon des animaux.

Il s'appelle l'otocyon ou, nom encore plus adorable, le renard à oreilles de chauve-souris.

Je capote! J'en veux un!

Comme son nom l'indique, il ressemble à un renard (Haïme, je pense à toi, mon p'tit renardeau) mais avec des oreilles disproportionnées.

Il ressemble à un Pokémon!

Il vit en Afrique. Ses oreilles lui permettent de détecter les insectes qui grouillent dans le sol, l'essentiel de son régime alimentaire.

Les aigles, les guépards et les chacals sont ses principaux ennemis (les méchants!). Pour les fuir, l'otocyon court en zigzag en s'orientant avec sa queue. Incroyable; même sur le point d'être dévoré, il trouve le moyen d'être *cute*!

Mais il faudra que je fasse une croix sur l'idée d'en avoir un: il n'a jamais connu de relations significatives avec l'être humain. Il est complètement sauvage, ce qui signifie que si j'en ai un, il fera de Youki, mon p'tit chien d'amoooour, son repas.

J'ai mis une image d'un renard aux oreilles de chauve-souris en fond d'écran de l'ordi.

Je vais dire à Fred qu'il est interdit de la changer pour une image stupide de nain lutteur, de nain qui prend son bain dans un seau de métal ou de Tyron Lannister de la série *Le Trône de fer.*

Mon frère est comme obsédé par les petites personnes, ces temps-ci.

C'est malsain. 🙂

En plus, il a trouvé sur Internet une affiche des Nains chanteurs, une troupe de trente «merveilleuses» petites personnes accompagnées par trois éléphanteaux et trente poneys.

Pas de blague, voici le texte de l'affiche :

Cette troupe a été très populaire entre 1913 et 1935. Par ailleurs, plusieurs de ses membres ont fait partie du film Le Magicien d'Oz *pour personnifier les Munchkins.*

Ces artistes de petite taille n'étaient pas maltraitées, au contraire. Leur gérant, Leopold von Singer, leur a fourni des tuteurs pour leur éducation et les a fait dormir dans des hôtels de luxe. Quelques-unes de ces petites personnes ont fait fortune.

Fred veut raconter leur histoire avec tout l'argent * tousse, tousse * qu'il va faire avec son film.

Pour ça, il veut recruter vingt petites personnes.

Il n'arrive même pas à en trouver une pour embarquer dans l'aventure de son long-métrage. 😨

(…)

J'ai commencé à écrire le scénario du film *La revanche du nain géant II*.

Résumé : Magnus Petit est la risée de tous en raison de sa grandeur et de son prénom inusité. Souffrant de nanisme, il a quelques amis à l'école, mais il en a marre d'être pointé du doigt lorsqu'il est en public. Aussi, les multiples frustrations qu'il vit au quotidien – les fontaines sont trop hautes, les armoires inaccessibles, il ne peut porter que des vêtements pour enfants, etc. – le transforment en un être irascible, mesquin et désagréable. Un jour, lorsqu'il touche à un astéroïde tombé du ciel, un étrange phénomène se produit : il se met à grandir. Chaque jour, il gagne quelques centimètres. Lorsqu'il atteint le mètre quatre-vingt, il est enfin un adolescent heureux. À deux mètres, il est recruté par l'équipe de basketball. Sauf qu'il continue à grandir au point où il redevient une bête de foire. Maintenant pourvu d'une force phénoménale, il se venge du destin en semant le chaos sur son passage…

Ewww. C'est mauvais.

Je l'ai fait lire à Fred, et il trouve ça génial.

Évidemment.

(…)

Mom va mieux, mais il n'est pas question pour elle de sortir de l'hôpital.

Son cas va être évalué au jour le jour.

Son cancer se répand, on ne peut plus rien faire.

Elle a des «soins de confort».

Ça signifie qu'elle reçoit des médicaments qui la soulagent, point.

Rien pour la guérir. 😵

C'est tellement difficile. Pour elle, mais aussi pour moi. Et pour mon père. Et pour Tintin. Et pour Fred, même s'il ne le montre pas. Et Grand-Papi, qui est de plus en plus anxieux.

En plus, j'aurais *tellement* eu besoin d'elle au souper.

Il y a quelques jours, j'ai oublié un plat de nouilles à la crème (je pense) au four à micro-ondes. Je l'ai retrouvé ce soir, en état de décomposition avancée.

Fred ne voulait pas y toucher. Il a crié comme une petite fille quand il l'a vu.

Qu'est-ce que Mom aurait fait dans cette situation désespérée ?

J'ai enfilé les mitaines de four, j'ai mis des lunettes de ski et un masque de protection respiratoire de Mom, et j'ai lancé le tout à l'extérieur, dans la neige.

Comme par magie, le plat a disparu.

Youki s'est élancé pour aller bouffer la chose ; je n'ai pas pu l'arrêter.

Je l'ai mis en quarantaine dans la salle de bains. Il couine, mais je crains que cette nuit, un monstre ne déchire son ventre et s'en prenne à nous tous.

Au printemps, si je suis toujours de ce monde, il ne faudra pas que j'oublie de demander à Pop de s'occupe du monstre avant qu'il ne tente de faire des bébés avec des écureuils.

Publié le 5 mars à 12 h 20
Humeur: sidérée

> **Coton fin et soyeux de veau marin (ouate de phoque)?!**

Je n'en reviens pas: je viens de retrouver les mille quatre cent cinquante-six dollars.

Où? Là où je les ai vus la dernière fois, c'est-à-dire dans mon casier.

Qu'est-ce qui vient de se passer?!

Après la danse, j'ai fouillé mon casier de fond en comble, et ils n'y étaient pas. Ça, j'en suis sûre et certaine.

Quelqu'un a donc remis l'enveloppe dans mon casier.

Comment je le sais?

Les mille et quelques dollars que j'avais récoltés étaient en coupures de cinq et dix dollars. Et il y avait plusieurs pièces de un et de deux dollars.

Dans l'enveloppe que j'ai trouvée ce matin dans mon casier, il y avait dix billets de cent dollars, huit de cinquante, deux de vingt, un de cinq et une pièce d'un dollar.

J'ai tout recompté une demi-douzaine de fois: il y a bel et bien mille quatre cent cinquante-six dollars. Pas un de plus, pas un de moins.

Je suis renversée.

Comment la personne a-t-elle fait pour connaître la combinaison de mon cadenas?

Le directeur était dans le corridor, les bras croisés sur la poitrine, à surveiller les allées et venues des élèves.

Il n'avait pas l'air de bonne humeur.

Je lui ai exhibé l'enveloppe.

– C'est quoi? il m'a demandé. Ta lettre de démission?

– Les élèves peuvent démissionner?

– Non. Malheureusement. C'est quoi?

– C'est l'argent que je me suis fait voler. Je viens de le retrouver.

– Où?

– Dans mon casier.

Il a levé les yeux vers le plafond et a poussé un soupir de désespoir.

– L'argent était dans ton casier pendant tout ce temps?

– Non, non. Il n'y était pas. J'avais tout vidé, je vous assure. Quelqu'un l'a remis dans mon casier.

– Voyons. Ton histoire n'est pas plausible.

– Je vous assure! Ce n'est pas le même argent. Ce sont des coupures différentes.

– Il se passe quoi dans ta famille pour que tu aies tant besoin d'attention?

Monsieur M. n'a jamais été aussi sec avec moi. Il est habituellement de bonne humeur, même quand il vient d'apprendre je lui ai fait dire des absurdités dans le journal étudiant.

J'ai décidé d'adopter son ton.

– À part le fait que ma mère est mourante, il ne se passe rien d'intéressant dans ma famille.

- J'imagine que c'est une autre de tes inventions.

J'ai gardé le ton le plus neutre possible :

- Non. Ma mère est sur le point de mourir.

- Désolé d'apprendre cette nouvelle. Ton père est à la maison ?

- Non, il est à l'hôpital avec ma mère. Il passe une fois de temps en temps.

- Comment je fais, si je veux lui parler ?

Le visage de Fred est apparu dans mon esprit : il est cuit.

- Je peux vous donner son numéro de téléphone cellulaire.

Ce que j'ai fait. Puis, je lui ai remis l'enveloppe.

- Gardez-la. Je ne veux plus rien savoir de cet argent.

- Je suis supposé faire quoi avec cette somme ?

- Compte tenu du fait que la cancéreuse qui devait le recevoir ne l'est pas, il n'y a pas un fonds d'aide pour les élèves en difficulté ?

Il a fait oui de la tête.

- Déposez l'argent dans ce compte. Au moins, ça va servir pour une bonne cause.

Monsieur M. a plié l'enveloppe et l'a glissée dans la poche intérieure de son veston.

- C'est une bonne idée, a-t-il dit.

- Est-ce que vous allez pouvoir investiguer ?

- Investiguer quoi ?

- Eh bien, qui a remis l'enveloppe dans mon casier. Il y a une caméra de surveillance braquée sur mon casier.

– Oui, oui. Quand je vais avoir un instant.

Je me suis éloignée en me disant que Monsieur M. ne me croyait pas. 😳

Eurgh! Monsieur M. pense que j'ai volontairement caché l'argent. Pourquoi j'aurais fait ça?!

Cette histoire n'est pas terminée. Je vais trouver le coupable.

Il connaît la combinaison de mon cadenas, en plus.

Comment il a fait?!

Je suis confuse.

C'est la fin

Publié le 5 mars à 19 h 21
Humeur: résignée

> **Surprise, Fred est suspendu, pouet, pouet, pouet.**

Fred a eu une rencontre avec le directeur cet après-midi. Il est ressorti avec une suspension de trois jours. 🙁

Il a tenté de faire avaler à Monsieur M. son histoire de poutine explosive, mais, aussi surprenant que cela puisse paraître, le directeur ne l'a pas gobée.

Deuh!

Pop n'était pas fier de son fils.

Moi non plus:

– Je t'avais dit que c'était une idée idiote. Pourquoi il a fallu que tu fasses à ta tête?

Sa réponse:

– Grumph puahh sniff sniff tchou tchou vroum vroum urf.

Fred est le roi des explications en forme d'onomatopées.

Le directeur a montré la vidéo à mon père, qui a dit, et je cite: «C'était comme un très mauvais sketch muet qu'on passe dans les avions.»

Tout est dit. Qu'ajouter d'autre?

(…)

Depuis l'heure du souper, il y a une caravane stationnée devant la maison. Comme celles que l'on voit sur les terrains de camping.

Il y a des gens dedans. Ils mangent en regardant la télévision.

Étrange. 👽

Personne ne se stationne dans la rue habituellement, à moins d'un événement spécial.

Je viens de demander à Fred d'aller voir de quoi il en retourne.

(…)

J'ai parlé à Kim, Tintin et Fred du retour mystérieux de l'argent dans mon casier.

Personne ne comprend.

– Il faut que ce soit quelqu'un de l'école, a dit Kim. Genre un prof. Ou un concierge.

– Ou Robocop, a dit Tintin.

Comme un chat qui s'apprête à vomir, le corps de Fred s'est mis à faire des spasmes inquiétants en émettant des bruits de gorge dégoûtants.

– Robocop… j'ai fait. C'est peut-être lui, effectivement. Il était là le soir de la fête à l'école. Il a accès aux caméras de surveillance. Comme je suis filmée devant mon casier, il a pu deviner ma combinaison. Un gardien de sécurité qui vole, ce serait tellement grave !

– Moins grave que de dessiner des sirènes mâles *hipsters*.

Fred a expulsé de sa bouche une boule de poils.

(…)

OMG !

L'Apocalypse a débuté ! 😲

Fred a parlé aux personnes dans la caravane : ils sont là pour le MÉGA party de samedi ! Il ont fait plus de mille kilomètres pour se rendre ici, et ils viennent de demander à Fred la permission d'utiliser notre salle de bains parce que la leur est bloquée.

Fred a accepté.

Un grand poilu blond d'une trentaine d'années à la barbe bien fournie est entré chez nous.

– T'as pensé quoi ? j'ai demandé à mon frère pendant qu'on entendait le mec se gargariser avec je ne sais quoi.

On l'a ensuite entendu pousser un gargouillement, puis cracher.

Il a entrouvert la porte. Il était torse nu.

– Je me suis trompé, il nous a dit en nous montrant la bouteille de lotion après-rasage de Pop.

Il a refermé la porte.

J'ai regardé Fred en lui lançant des tridents avec mes yeux.

– Je ne peux pas le laisser comme ça, s'est défendu Fred. J'ai un cœur, moi. Et il croit en mon projet de film. Il me l'a dit.

La douche s'est mise à couler.

– Attends. Il se lave ? !

– Je sais pas, Nam. Je ne peux pas entrer, il a verrouillé la porte. Et c'est son intimité.

– Son intimité ? Et la nôtre ? !

L'intrus a craché et s'est mouché.

J'étais dégoûtée.

Le mec a passé vingt minutes sous la douche !

Vingt !

Il est ressorti avec une serviette autour des hanches. Il avait une de mes bandelettes sur le nez, celles pour retirer les points noirs.

Sans nous regarder, il est retourné dans sa caravane. Il fait moins vingt degrés Celsius dehors ! ☺

– Je pense que c'est un Viking, m'a dit Fred.

– Viking ou non, tu dois mettre fin à cette histoire de party. Maintenant.

– Il a fait mille kilomètres…

– M'en fous. Il a bu l'après-rasage de papa, il s'est mouché dans le rideau de douche, il a vidé le réservoir à eau chaude, et on a payé pour déloger les points noirs sur son nez. En plus, t'as vu comme il est poilu ? Je n'ose même pas regarder le renvoi d'eau. Il doit y avoir assez de poils pour en faire un oreiller. Tu vas laver de fond en comble la salle de bains. À la brosse à dent, s'il le faut.

Fred est parti parler au Viking. Pour une fois qu'il m'écoute !

Je m'en vais me coucher.

(…)

* * * * * * * * * * * * * * * * * * * *

Êtes-vous prêts ?

Apocadémie Ltée vous offre des cours du soir afin de vous apprendre à survivre à ce moment historique et, disons-le, quelque peu dramatique que sera l'Apocalypse. Grâce à nos enseignements frôlant la psychose paranoïde, vous apprendrez à transformer n'importe quel objet en arme meurtrière. Aussi, Sam le boucher vous indiquera quels morceaux d'êtres humains vous pouvez manger sans courir le risque d'attraper de maladies. On vous fera réaliser qu'il ne sert à rien de porter un parapluie lors d'une pluie d'astéroïdes, et nous vous indiquerons comment construire un abri de fortune avec quelques morceaux de bois, des clous et une carcasse d'éléphant – zoo requis. Vous aurez également droit à quelques cours de base pour le dressage de zombies. Que vous soyez parés ou non, l'Apocalypse va survenir. Réagissez avant qu'il ne soit trop tard !

www.1-2-3-paniquez.com

* * * * * * * * * * * * * * * * * * *

> **Je n'en reviens pas !**

En me levant ce matin, il y avait un inconnu couché sur le canapé du salon.

Je rectifie : ce n'était pas vraiment un inconnu. C'était le Viking.

Grand-Papi n'étant pas à la maison parce qu'il est parti à la pêche aux poulamons avec ses vieux amis, il a fallu que je me rabatte sur Fred pour chasser l'épave qui bavait sur les coussins de Mom.

Après avoir réveillé mon frère tout en douceur – en tentant de mettre mon gros orteil dans une de ses narines ; c'est beaucoup plus facile à faire que cela ne le laisse paraître –, je l'ai fait émerger du sommeil avec toute la délicatesse dont je suis capable :

– Hey, le scarabée bousier, qu'est-ce que le pirate scandinave fait dans le salon ?

Mon frère a remonté la couverture sur sa tête.

– Oh, Nam, *come on*, je me suis couché à cinq heures du matin. Laisse-moi dormir.

– Cinq heures ? Qu'est-ce que t'as fait ?

– J'ai joué à roche-papier-ciseau.

– Toute la nuit ?

– Ouais. Laisse-moi dormir.

– Attends, je joue une seule partie de roche-papier-ciseau et j'en ai marre. Comment t'as fait pour tenir toute une nuit ?

– Laisse-moi dormir !

– Non ! Tu ne peux pas laisser un inconnu dans notre salon.

– Ce n'est pas un inconnu. C'est le Viking. Il s'appelle Éric le Jaune. Il est vraiment *cool*.

– Fred, *cool* ou non, il doit sortir d'ici.

– Ouais, ouais. J'y vais.

Et il s'est retourné et s'est rendormi.

Quand je suis sortie de la chambre de Fred, Éric le Jaune n'était plus dans le salon. Je me suis dit qu'il m'avait entendu et que, gêné, il était retourné dans son drakkar.

J'ai alors jeté un œil à l'extérieur, et le décor ne m'a pas plu : il y avait trois autres caravanes devant la maison, et des gens avaient construit un igloo sur notre terrain.

Un. Igloo. 🙂

«Relaxe, Nam, je me suis dit. Ce ne sont pas tes problèmes. Fred doit apprendre à vivre avec les conséquences de ses actes.»

Sauf qu'à peine j'avais terminé de me rassurer que j'ai buté sur le pied d'un être humain couché sous la table de la cuisine, recouvert d'une nappe pour se tenir au chaud. C'était Éric le Jaune. 😮

Tintin s'est levé, et je lui ai demandé de réveiller le Viking et de lui demander gentiment de débarrasser le plancher.

Ce qu'il a fait.

En fait, il a fallu qu'on le traîne par les pieds parce qu'il ne s'est jamais réveillé.

- On ne peut pas le mettre dehors, m'a dit Tintin.

- Pourquoi pas ?

- Il fait moins vingt degrés !

- Regarde-le ; ses poils l'isolent très bien, comme les ours polaires.

- Peut-être, a répliqué Tintin, mais l'ours polaire a une couche de graisse. Et sa peau est noire afin de profiter de tous les rayons de soleil, comme un aimant à chaleur.

J'ai levé un index :

- Tu sais que les poils de l'ours polaire ne sont pas blancs ? Ils sont translucides. Ce sont les rayons de lumière qui lui donnent cet aspect.

Probablement perturbé par la pertinence de nos propos, Éric le Jaune s'est réveillé. En marmonnant des incantations de druide, il est sorti de la maison.

J'ai rejoint Pop sur son téléphone cellulaire. J'ai laissé un message dans sa boîte vocale en lui disant que la situation s'envenimait et que s'il n'intervenait pas immédiatement, notre maison exploserait bientôt parce qu'il allait y avoir trop de monde dedans.

En sortant pour me rendre à l'école, j'ai croisé trois gars habillés en couleur néon, comme des skieurs des années 1989, qui se faisaient cuire des rôties sur un barbecue. J'ai fait ce que Fred n'a pas eu le courage de faire : leur expliquer qu'il n'y aurait pas de party.

- On vient pour les cracheurs de feu nudistes, m'a dit skieur en rose néon circa 1989.

- Il n'y en aura pas. C'était une blague.

– Et les croustilles? Et les boissons gazeuses? Et la musique forte? m'a demandé skieur en vert néon circa 1989.

– Non plus. C'est annulé. Ce devait être une fête entre amis, et ça a dégénéré.

– Et le nain géant? a réclamé le skieur en orange néon circa 1989. J'aime ça, les nains.

– Y'aura pas de petite personne non plus. Allez, quittez. Vous perdez votre temps.

J'ai passé le message aux dizaines de personnes qui se trouvaient devant la maison. Et aux gens dans l'igloo qui perçaient un trou dans notre pelouse dans l'espoir d'y trouver un plan d'eau pour pêcher – je pense. Ou du pétrole. 😕

Malgré mon intervention digne des plus grands diplomates, personne n'est parti.

Tant pis. Ce n'est pas mon problème.

Kim est venue me rejoindre à l'arrêt d'autobus.

– Qu'est-ce que se passe chez toi?

– Est-ce que tu parles du Viking qui dormait sous la table de la cuisine ce matin?

– Hein? Non, il y a des gens bizarres. J'ai vu des gars avec avec des melons d'eau sur la tête qui avaient les lettres « TYPAR » écrits sur le ventre. Je me demande vraiment qui est « TYPAR ».

– Tu les as vus en désordre. C'est « PARTY ».

– Oh. Original.

À l'heure qu'il est, j'imagine que Pop s'est occupé de tout.

En revenant de l'école, ma vie sera redevenue un long fleuve tranquille. Fleuve rempli d'affreuses créatures qui ont muté en raison de la pollution et des déversements de produits radioactifs, mais tranquille quand même à la surface.

(…)

C'est paisible au local des Réglisses rouges, ces derniers temps. Personne ne vient de nous voir.

On est tellement efficaces qu'on a réglé tous les problèmes de nos camarades de classe !

(…)

Tintin doit remettre à Robocop son carnet, aujourd'hui. Subtilement, puisque qu'il ne doit pas savoir qu'on l'avait en notre possession.

Et je n'ai toujours pas de réponse à propos du retour aussi surprenant qu'improbable des mille quatre cent cinquante-six dollars dans mon casier.

Les classes recommencent.

Après le iPhone
et le iPad,
voici le iGloo
(c'est ici que tu dois rire)
Namxox

> Rien de neuf, vraiment

Deux choses dignes de mention se sont produites aujourd'hui. Deux choses qui, comme par hasard, commencent par les lettre i-d-i-o.

La première : dans mon cours de français, monsieur Patrick nous a appris ce qu'étaient les idiomes. Essentiellement, ce sont des expressions qui frappent les esprits et qui n'ont du sens que lorsqu'on fait partie d'une certaine culture. Pour les étrangers, c'est incompréhensible.

Exemples : les carottes sont cuites (il n'y a plus de chances), attache ta tuque (sois prête), avoir de l'eau dans sa cave (porter ses pantalons trop courts), passer du coq à l'âne (changer de sujet abruptement), et j'en passe.

Monsieur Patrick nous a donné d'autres exemples d'autres pays.

Suède : il n'y a pas de vache sur la glace (pas besoin de se dépêcher) et glisser sur un sandwich aux crevettes (obtenir une récompense sans l'avoir méritée).

Thaïlande : la poule voit les pieds du serpent et le serpent voit les seins de la poule (deux personnes connaissent chacune leurs secrets).

Russie : tu peux aiguiser une hache sur sa tête (c'est une personne zélée, têtue).

Portugal : celui qui n'a pas de chien chasse avec un chat (se débrouiller avec ce que l'on a).

Sympathique, n'est-ce pas ?

Merci monsieur Patrick pour ces enseignements qui font de moi une adolescente plus cultivée.

Qu'est-ce qui s'est passé aussi aujourd'hui avec un mot qui commence par les lettres i-d-i-o… Voyons, j'ai un blanc…

Ah oui, en revenant de l'école avec Kim, j'ai eu la surprise de constater que ma rue était bloquée par plusieurs autos de police aux gyrophares activés.

Pourquoi ? Parce que mon **IDIOT** de frère ne m'a pas écoutée.

J'aurais dû m'en mêler un peu plus ! J'aurais dû !

On savait que son annonce de méga party sur Fesse-de-bouc avait eu un effet bœuf (un autre idiome !), mais jamais je n'aurais cru que ça allait se répercuter dans la « vraie » vie de manière aussi spectaculaire.

Sur les deux cents mètres qu'il y a entre l'arrêt d'autobus et ma maison, j'ai croisé une mascotte sur un véhicule tout-terrain, des meneuses de claque, une demi-douzaine d'autos de collection avec le capot relevé pour montrer à quel point leur moteur est beau (!?), un mec avec un espèce de pistolet à air comprimé qui lançait des t-shirts dans la foule, une grande roue à quatre places activée par un mec sur une bicyclette et un kiosque vendant des marrons chauds.

Ah oui, il y avait aussi un concours de sculpture sur glace sur notre terrain, entre les igloos (il y en a maintenant cinq).

Pendant ce temps, des policiers faisaient la circulation et tentaient de disperser les gens. Il y en avait même sur des chevaux.

J'ai eu toutes les misères du monde à me rendre à la maison. Les gens pensaient que je voulais les dépasser alors que je désirais uniquement entrer chez moi !

Quand j'ai finalement pu mettre les pieds dans la maison, Fred parlait avec un agent de police et lui expliquait la situation.

Et Éric le Jaune regardait la télévision en caleçon sur le canapé. Il a levé la main en me voyant, comme si lui et moi, on avait escaladé l'Everest ensemble.

Une fois que le policier est parti, Fred s'est jeté sur moi :

– Nam ! T'as vu ? !

– Non, je n'ai rien vu. Qu'est-ce qui se passe ?

– Dans la rue, Nam ! Tous ces gens ! C'est pour moi !

– Je sais, Fred. Je te niaisais. Tu peux être fier de toi.

– Je me sens mal à l'aise. Ils sont venus ici pour rien. Il faut les évacuer. Tu savais qu'il fallait un permis de la ville pour organiser une fête de plus de cinquante personnes ? Et aussi un permis pour qu'une mascotte fasse du quatre-roues dans la rue ?

– Toi, tu savais qu'il te faudra maintenant un permis pour aller sur Internet ?

– Hein ?

– Ouais, mais juste pour toi.

- Oh, ouain. Je vois ce que tu veux dire. Je me suis peut-être un peu planté.

- Un peu ? T'as vu tous ces gens à l'extérieur ?

- Oui, je sais. Regarde ça.

Avec son pouce, il a pointé la table de la cuisine, où il y avait trois sacs de croustilles, deux bouteilles de boisson gazeuse et des verres de styromousse.

- Je n'en ai clairement pas assez acheté.

À l'extérieur, un policier, à l'aide d'un portevoix, a demandé à la foule de se disperser. Il y a eu des huées. Puis, les gens ont commencé à scander «NAIN GÉANT! NAIN GÉANT! NAIN GÉANT!».

Les pupilles de mon frère se sont dilatées.

- Tu les entends? Les gens ont besoin de divertissement! Ils ont besoin de *La revanche du nain géant II* !

- Non, Fred. Ils ont juste besoin de moins de temps libre dans leur vie.

- ON T'AIME, FRED! a crié une fille.

- Ouais, on t'aime! ont renchéri d'autres fans en délire.

- T'as entendu, Nam? Ils m'aiment!

- Ta blonde t'aime, t'as pas besoin de plus.

Lorsque Fred est sorti, il a eu droit à une salve d'applaudissements et à des sifflements, comme s'il était une vedette.

Je dois dire que je n'ai jamais vu un sourire aussi authentique sur son visage.

Si j'avais été une cannibale, je lui aurais croqué les joues.

(…)

Je viens de parler à Pop. Il s'en vient.

Il a appelé Fred ce matin, mais mon frère lui a dit qu'il n'avait pas à s'inquiéter, que je réagissais exagérément, que «tout était sous contrôle».

Tout est sous le contrôle de la police, oui.

> **Mom!**

Quelle belle surprise : Mom est de retour à la maison !

Elle a meilleure mine que lorsqu'elle est partie.

Elle a pleuré quand elle m'a vue. Pauvre Mom d'amour.

Quand je l'ai prise dans mes bras… Ouf. Elle est si frêle. J'ai l'impression qu'un coup de vent pourrait la soulever du sol.

(…)

Les gens continuent encore à affluer sur la rue, mais c'est beaucoup moins pire que cet après-midi. Et il y a moins de *freaks*, il me semble.

À un moment donné, ça ne m'aurait pas surprise qu'un éléphant apparaisse avec une boîte sur le dos contenant un Maharaja. Ou de voir arriver des autos tamponneuses. Ou un chœur d'enfants qui chante le Requiem en D mineur de Mozart.

Mom est trop fatiguée pour s'en faire, mais Pop capote solidement.

Il a lavé les oreilles de mon frère à grands coups de brosse à ramoner les cheminées :

– Tu sais que ça aurait pu se transformer en émeute ? Qu'il aurait pu y avoir des blessés et des morts ?

– Voyons, papa…

– Il n'y a pas de « voyons, papa ». C'est grave !

J'ai cru bon intervenir pour abaisser la tension.

– C'est une bête erreur de Fred. Il a créé un évènement, mais il a oublié de le régler à privé. Donc, le monde entier y a eu accès. Et par le monde entier, je veux dire tous les excentriques, les bizarroïdes et les lanceurs de t-shirts aidés d'un pistolet à air comprimé.

Pop a passé sa main sur son front.

Je sens qu'il est au bout du rouleau.

Il est fatigué, et il a cessé de boire depuis plusieurs jours. On voit que ça le pèse. Il a toujours le visage en sueur, et il tremble.

Il en bave.

J'ai alors réalisé un truc un peu *freakant* : je n'ai pas de parents ; je n'ai que des demi-parents.

Bientôt, Mom ne sera plus là, et j'ai vraiment peur pour Pop.

Et un peu pour Fred, Tintin et moi.

(…)

Après le boulot, Wolfie d'amour est venu me rejoindre, et on a passé la soirée à jouer à des jeux de société avec toute la famille.

C'était super amusant.

On a mangé les croustilles et bu la boisson gazeuse de Fred.

À vingt-deux heures, Pop est allé reconduire mon amoureux. Je suis restée seule avec Mom pour faire le ménage de la cuisine.

Alors que je vidais les verres dans l'évier, elle m'a demandé de sa voix un peu éraillée :

– Tu sais ce qui se passe avec ma tête, n'est-ce pas ?

– Oui. Je crois. Des métastases, c'est ça ?

– Oui. Et c'est la pire manière de mourir.

La brutalité des propos de Mom, après avoir passé une si belle soirée, m'a saisie. ☺

– Pourquoi dis-tu cela ?

– Je tiens à ce que tu saches que je t'aime et t'aimerai toujours. Et que la personne que tu vas voir dans les prochaines semaines, eh bien, ce n'est pas ta vraie mère.

– Je comprends.

Mom ne semblait pas affectée par ses révélations, comme si elle s'y était préparée depuis longtemps. Elle avait le dos bien droit, les mains posées devant elle, et me regardait dans le blanc des yeux.

– J'ai travaillé avec plusieurs patientes qui ont les mêmes cancers que moi. C'est difficile parce que chaque jour qui passe, on dépérit.

Je suis allée m'assoir avec elle à la table. J'ai posé mes mains sur les siennes. Elles étaient froides.

– J'ai lu un peu, Mom. Je sais que ce ne sera pas facile.

– J'ai l'impression de te laisser tomber. De vous laisser tomber.

– Mom, arrête. Ce n'est pas de ta faute. On va passer à travers cette épreuve ensemble.

Elle m'a souri.

– Oui, ensemble. Ce ne sera pas facile, ma fille.

– Je sais, maman. Mais tu ne dois pas y penser. Tu nous a bien élevés, tu as été une mère exemplaire.

Cette fois, elle a craqué.

Et j'ai craqué aussi.

On a pleuré ensemble.

Mon frère est entré dans la cuisine pour se servir un verre de lait.

– Qu'est-ce qui se passe ?

Sacré Fred.

Mom lui a demandé d'approcher. Elle l'a serré très fort dans ses bras.

– Même si t'es le plus fou des fils, je t'aime tellement.

– Je ne suis pas fou, il a rétorqué, vexé. Je suis un rêveur.

Oh, misère. Ce qu'il ne faut pas entendre !

(…)

Je n'en ai pas parlé, mais mon éditrice m'a appelée aujourd'hui.

Elle m'a demandé si j'avais d'autres projets d'écriture.

Avec l'école, le journal étudiant, les Réglisses rouges, la maladie de Mom, celle de Pop et mon chum, j'ai certainement le temps de plancher sur un nouveau roman.

La nuit, par exemple. À quoi ça sert de dormir ?

Je vais aller vérifier sur-le-champ.

Laisse-moi te créer
un souvenir que tu n'oublieras
JAMAIS

Nomxox

> **Plus étrange séance de magasinage de ma vie.**

Que fait-on le samedi matin ?

On peut faire la grasse matinée.

On peut rester en pyjama jusqu'à midi. Ou toute la journée, si ça nous tente.

On peut faire nos devoirs et leçons.

On peut rester écrasés devant la télévision. Ou regarder notre série préférée en ligne. Genre les douze épisodes les uns après les autres.

On peut aussi se rendre à un endroit où je n'ai jamais mis les pieds et faire l'achat d'un objet qui ne sert qu'une fois, qui coûte des milliers de dollars et qui ne sert qu'aux morts.

Un cercueil.

Humour noir foncé ? Blague déplacée ?

Nope. C'est ce qui vient de se produire. Et le pire ? Ce que Mom a acheté va être livré cette semaine à la maison.

Personne ne le sait encore, sauf Mom et moi. Bien hâte de voir la tête des membres de la famille quand ils vont ouvrir la porte du garage !

(…)

À neuf heures, Mom est venue me réveiller doucement, comme elle seule sait le faire. Elle a caressé mes cheveux en grattant le fond de ma tête avec ses ongles.

– Viens, elle m'a soufflé à l'oreille, on va aller déjeuner au resto.

Je me suis habillée en vitesse, et nous sommes parties.

Même si je doutais de ses capacités à conduire, elle a insisté pour le faire.

– Mais ton père ne doit pas nous voir partir.

– Pourquoi? Si c'est une question de vie ou de mort, j'aimerais que tu me le dises avant que j'embarque avec toi.

– Non, non. Je peux conduire. Mais il ne veut pas parce qu'il dit que ça va trop me fatiguer.

Comme si nous commettions un crime, nous sommes parties sur la pointe des pieds.

Même si j'avais quelques appréhensions, Mom a conduit l'auto comme elle l'a toujours fait : avec prudence et discernement. Un peu lentement, cependant – on nous a klaxonnées à deux reprises.

Je préfère cela à une promenade avec la pédale d'accélération au plancher en ne respectant aucun panneau de signalisation pendant qu'on hurle à pleins poumons (elle de plaisir, moi de terreur).

À ma grande surprise, Mom a commandé un gros déjeuner bien gras et salé. Je me suis contentée de deux crêpes et d'un verre de lait.

On a parlé de l'école, de cette histoire de l'argent revenu mystérieusement dans mon casier, de l'idée du méga party de Fred annoncée sur Fesse-de-bouc, d'Éric le Jaune, de *La revanche du nain géant II* et de mon chum.

Mom n'a pas touché à son assiette, ou presque. Elle a mordu dans un morceau de bacon et c'est tout.

Il a fallu que je me sacrifie pour faire entrer ce qui restait dans mon pauvre petit estomac.

Avoir su où on s'en allait par la suite, je n'aurais pas mangé comme une poubelle vivante.

En sortant du restaurant, elle m'a demandé :

– T'as le goût d'aller magasiner ?

– Ouais ! T'as besoin de quelque chose ?

– Oui, et ça commence à être urgent.

– C'est quoi ?

Elle m'a fait un clin d'œil.

Les cancers et les métastases, ç'a plein d'effets secondaires, comme les nausées, les maux de tête, les pertes de poids dramatiques, mais aussi l'apparition d'un sens de l'humour louche.

Lorsque Mom a dépassé le centre commercial, je me suis doutée que le léchage de vitrine allait goûter différemment, cette fois.

– Euh, Mom ? Tu sais qu'on vient de dépasser le centre d'achats, n'est-ce pas ?

– Je sais. On va acheter quelque chose de plus original que des vêtements.

– Quoi ?

– Une motoneige.

– Hein ?

– Une motoneige. Ce serait bien si on pouvait en faire, n'est-ce pas ? Ce serait un beau moment mère-fille.

– Ouais, super. Où tu comptes en faire ?

– Je sais pas trop. Dans la cour ? Sur le toit de la maison ?

– Mom, tu m'inquiètes un peu. Je sais pas si t'es sérieuse ou si ce sont les crabes dans ta tête qui te font délirer.

Mom s'est esclaffée.

– Je blague, voyons. Je suis saine d'esprit. Pour l'instant. On va magasiner un cercueil.

Mon estomac s'est resserré.

– Un quoi ?

– Un cercueil. Tu sais, l'espèce de boîte rectangulaire dans laquelle on dépose les morts.

– Mom, je sais ce que c'est. Finalement, l'idée de la motoneige n'était pas si mal.

– Il y a peut-être un cercueil en forme de motoneige, si ça peut te faire plaisir.

– Non, non. Je ne veux pas magasiner ça. C'est tellement…

– C'est tellement quoi ? Lugubre ?

– Oui. Et, euh, étrange. Et inapproprié.

– Bon, tu as fini de te plaindre ? Tu resteras dans l'auto si tu as si peur.

– Peur, moi ? Je n'ai pas peur ! J'ai juste… OK, oui, j'ai peur.

– Peur de quoi ?

– Pas clair. Peur de te voir dedans. Peur que tu meures. Peur de ce qui va se passer après.

– C'est normal et sain. Mais pour l'instant, je ne suis pas morte. Et tant qu'à rester à la maison à dormir et à bouffer des médicaments, pourquoi ne pas s'amuser un peu?

– S'amuser? Tu penses que ça va être plaisant?

– Bah oui. C'est original.

– Ah oui, ça, pour être original, ce l'est. Je n'ai jamais entendu parler d'une sortie mère-fille de ce genre. Un spa, ça ne t'aurait pas tenté? Ou une manucure?

– Arrête. C'est pour les poltronnes. Nous, on est des guerrières.

Mom a stationné l'auto devant un édifice aux briques grises et noires. C'est à ce moment que le plaisir a commencé.

Mon frère a besoin de l'ordi.

Pas de danger que ça arrive à Mom,
y'a pas un démon qui va pouvoir
supporter sa gentillesse

Namxox

> Quelles questions doit-on poser lorsqu'on achète un cercueil ?

Argh ! Mon frère a remplacé l'image d'arrière-plan du plus mignon des renards à oreilles de chauve-souris par l'affiche qu'il a conçue lui-même pour son film.

Elle est horrible !

WTF ?! ☺

Je pose des questions à mon frère, et je reviens.

(…)

Voici le compte-rendu de ma rencontre avec mon frère à propos de l'affiche du tant attendu *La vengeance du nain géant II* (oui, le titre a encore changé).

Namasté : Tabouère ! Qu'est-ce qui s'est passé avec l'ordi ? Tu lui as fait quoi ?

Fred : De quoi tu parles ?

Je lui ai montré l'écran avec l'affiche.

Namasté : Regarde. On dirait que c'est une peinture faite par un chimpanzé traumatisé par ses années passées en cage.

Fred : Mon affiche ?

Namasté : Non. Ce truc, là. Cette flaque de vomi de licorne.

Fred : Tu parles de l'affiche de mon film !

Namasté : Ça ne ressemble pas à… Oh, là, là. Oui, si je tourne la tête un peu à gauche et que je me flanque un coup sur l'oeil droit, ça ressemble à une affiche de film.

Fred : Elle est géniale, non ?

Namasté : J'aimerais que tu définisses le mot «génial», s'il-te-plaît.

Fred : Ça donne le goût de le voir, non ?

Namasté : Écoute, Frédérick. J'ai écrit le scénario, tu l'as lu, et je ne reconnais pas le film. Premièrement, pourquoi le nain est un lutteur ?

Fred: C'est symbolique. Il lutte tous les jours pour sa survie.

Namasté: OK. Et, euh, l'oiseau préhistorique?

Fred: Le ptérodactyle? C'est cool. Tout comme mon film.

Namasté: Et pourquoi il y a un zombie qui s'arrache la tête?

Fred: Ça, je ne sais pas encore. Mais je me suis dit que c'était une bonne idée.

Namasté: Mouais. Et le gorille habillé en astronaute? Pourquoi il tient une femme dans ses bras? En fait, pourquoi il existe?

Fred: Ça, je ne peux pas le dire. C'est top secret.

Il a fait comme s'il y avait une fermeture éclair sur sa bouche et qu'il la refermait.

Je lui ai donné un coup de poing sur l'épaule.

– Sacré frérot. T'es un véritable sac à mystères.

– C'est une insulte, ça, non?

– Hein? Franchement! Je ne t'insulte *jamais*!

Il s'est éloigné de moi comme si je venais de lui demander de retirer les mousses que j'ai entre les orteils.

Je viens de remettre l'image du renard à oreilles de chauve-souris. Tellement mignon!

Voilà. Je me sens mieux.

(...)

J'ai été surprise de constater que Mom et moi étions les seules clientes chez l'entrepreneur en pompes funèbres.

Comment était-ce possible?!

Il me semble qu'un samedi matin ensoleillé et frisquet est le moment propice pour qu'une mère et sa fille explorent ces lieux aussi inusités qu'étranges.

Il aurait dû y avoir une file à l'extérieur!

Nous avons été accueillies par une jolie dame d'une cinquantaine d'années qui finissait de manger un muffin.

– Vous êtes madame Dubois? a demandé Mom en tendant la main.

– Moi-même. On s'est parlé cette semaine, n'est-ce pas?

– Effectivement.

La dame a tourné la tête vers moi:

– Tu es Namasté, je suppose. J'adore ton prénom.

– Je suis Namasté, effectivement. Et merci pour votre commentaire.

On s'est serré la pince.

Elle nous a fait faire le tour de son établissement.

Comme si elle parlait de chaussures, de chauffrettes ou de souffleuses à neige, madame Dubois a présenté les qualités de chacune des bières qu'on a croisées.

(Bière est un synonyme de cercueil. Ça aurait été quelque peu inapproprié si elle avait fait un discours pour différentes sortes de boissons alcoolisées de couleur ambre obtenues, entre autres, par la fermentation de houblon.)

Il n'y avait que trois cercueils complets. Les autres étaient représentés par un coin cloué au mur. Assez pour voir leur couleur et leur fini.

Il y en avait des centaines. C'est ridicule. Et les prix vont de mille à... douze mille dollars !

On peut en acheter en érable, en merisier, en frêne, en pacanier, en cèdre, en acajou, et j'en passe.

Ce qui m'a le plus touchée, c'est le petit cercueil pour les enfants. Vraiment triste.

– Avec autant d'options, Mom a dit, c'est difficile de choisir.

– Vous désirez être enterrée ou incinérée ? a demandé la dame.

– Enterrée. Je veux être dévorée par des insectes pendant des années.

– C'est une manière de voir les choses, a dit la dame en esquissant un sourire incertain.

– Vous ne vendez pas un sac en toile de jute dans lequel on pourrait me mettre ? Ça doit coûter moins cher. Et on n'aura qu'à me jeter dans un trou.

J'ai fait de gros yeux à ma mère.

– Mom ! Franchement !

– Le sac de jute est interdit par la loi, a dit la dame.

– Alors un sac à ordures.

– Aussi.

– Pas les gros orange pour les feuilles mortes. Les tout-petits, ceux pour la cuisine. Regardez-moi ; quand je vais mourir, il ne restera plus grand-chose.

La dame prenait ma mère au sérieux.

– C'est aussi interdit.

– Dommage.

Mom s'est tournée vers moi.

– Tu en penses quoi ?

– J'en pense que j'ai l'impression d'être dans un rêve troublant.

– Je te ferai remarquer qu'un jour, toi aussi, tu vas en avoir besoin.

À madame Dubois :

– Avez-vous des prix de gros ? Si j'en achète pour tous les membres de ma famille, est-ce que vous me faites un rabais ? Mon père est sur le point de mourir.

Qu'est-ce qu'elle racontait ? !

– Grand-Papi est en forme. Il lui reste encore une dizaine d'années à vivre. Au moins.

– Tu sais, ma fille, un accident de la route ou un accident vasculaire-cérébral est si vite arrivé.

– Mom, franchement !

M'est avis que ma mère est rendue dans la phase d'acceptation de son sort. D'aplomb.

Trop, même. 😮

J'aimerais bien voir la tête de Pop si on faisait entrer cinq cercueils dans son garage. Il n'y aurait plus de place pour circuler.

J'y pense : quand je vais aller en appartement, ce cercueil, il va falloir que je le traine avec moi, non ? Ça ne va pas du tout faire peur aux déménageurs. Ou à mon *chum*, si je déménage avec lui.

Et je ne fais pas confiance à Fred. S'il a sous la main ce genre d'objet, il va le transformer rapidement en quelque chose d'inadéquat. Genre il va y mettre des roues et un volant, et il va demander à Tintin de le pousser en faisant des bruits de moteur avec sa bouche.

Mom a demandé si elle pouvait se coucher dans un des modèles sur le plancher. La dame est allée chercher un tabouret et l'a aidée à grimper.

– C'est un peu dur pour le dos et les fesses, a dit Mom. Dites-moi, comme employée, avez-vous droit à un rabais?

– Non.

– Pas même quinze pour cent? Ou un morceau, chaque année? Comme ça, au bout de vingt-cinq ans de loyaux services, vous pouvez en assembler un?

– Non, malheureusement.

– Hum. Et est-ce que je peux être exposée dans une position particulière?

Oh, oh…

– Mom, arrête.

Mom a intrigué la dame:

– Que voulez-vous dire par «position parti-culière»?

– Eh bien, j'ai vu sur Internet que certaines personnes n'étaient pas exposées couchées, mais assises dans leur fauteuil préféré, télécommande à la main, ou dans une chaloupe avec une canne à pêche. Moi, j'aimerais bien être debout devant mon lave-vaisselle, pendant que je le vide. C'était mon passe-temps favori.

Ma mère a toujours détesté vider le lave-vaisselle.😖

La dame était visiblement décontenancée.

– Je... Je ne sais pas. Il faudrait que je me renseigne.

J'ai marmonné :

– Mom, si tu ne te tais pas, je referme le couvercle, et je t'oublie ici.

Mon commentaire n'a pas impressionné ma génitrice :

– Par hasard, je n'en vois pas sur le plancher, mais vous n'auriez pas de gros plats en plastique avec des couvercles ? Comme ceux qu'on peut mettre au micro-ondes pour réchauffer de la nourriture, mais de ma taille ?

Plus les questions déboulaient, plus la peau du visage de madame Dubois blanchissait. Ça devenait franchement absurde.

– Non, euh, pourquoi on vous mettrait au micro-ondes ?

Mom est restée impassible :

– Pour me réchauffer. J'ai toujours froid. Si vous n'avez pas de Tupperware assez grand, en avez-vous pour mes mains et mes pieds ? Je demanderai qu'on les détache à l'autopsie.

Misère. Il était temps de partir. J'ai tapé dans mes mains.

– Bon ! C'était un bon moment, mais là, il est temps de retourner à la maison. Il y a des plantes à arroser.

– Pas tout de suite. Il faut que j'achète un cercueil.

– Maintenant ? ! Pourquoi ?

À madame Dubois, dont la peau du visage n'avait toujours pas repris sa teinte rosée :

– Vous faites la livraison ?

– Oui.

– Votre patron doit vous aimer. Vous êtes polyvalente. En plus de vous occuper du magasin, vous livrez les cercueils. Bravo, mais attention à l'épuisement professionnel.

Mom pointe du doigt le cercueil le moins cher.

– Je vais prendre celui-là.

Dix minutes plus tard, nous sortions du magasin. Dès qu'on est entrées dans l'auto, Mom s'est esclaffée.

– Whouâ ! C'était une expérience bizarre !

– Je ne sais pas de quoi tu parles. J'ai trouvé notre aventure complètement naturelle.

– La pauvre dame, elle ne savait plus où donner de la tête !

– Pourquoi tu veux qu'on livre le cercueil à la maison ? Tu veux dormir dedans pour voir si tu vas le trouver confortable pour l'éternité ?

Sa réponse m'a hébétée.

Publié le 8 mars à 10 h 32
Humeur: enragée

> **L'ordi bogue.**

Mon frère ne veut pas me dire ce qu'il a fait avec l'ordi ni où il est allé sur Internet, mais j'arrive difficilement à écrire. Genre je tape un mot, et il apparaît cinq secondes plus tard à l'écran.

La machine est lente. Accéder au site de mon blogue a pris une éternité. Ça a été si long que je suis maintenant ménopausée.

C'est sûr que pour trouver des photos en noir et blanc de petites personnes en tenue de lutteur, il a fallu que mon frère fouille dans des recoins de l'Internet plus louches que louches.

Le disque dur est bruyant. Comme si un D.J. ayant trop bu de boisson énergisante le faisait *scratcher* compulsivement.

Je vais arrêter ici. C'est trop pénible.

Dommage, j'avais plein de trucs à raconter!

Adieu!

Deux mois
et une semaine
plus tard

Adieu, Mom

Namxox

Publié le 16 mai à 9 h 35
Humeur : soulagée

> **Je t'aime, Mom.**

Mom est morte hier, à cinq heures quarante-trois du matin. J'étais présente, et je suis heureuse d'avoir été là.

Ça s'est passé doucement, sans bruit, comme une plume qui se pose sur le sol.

Je dormais dans un fauteuil quand une infirmière m'a réveillée. Elle m'a dit que maman partait.

Les battements de son cœur étaient irréguliers, et elle n'inspirait de l'air qu'une fois à la minute. C'était signe que la Mort était dans la chambre, prête à l'amener avec elle.

J'ai appelé Pop, qui était allé dormir à la maison après cinq jours sans avoir mis les pieds en dehors de l'hôpital. Je lui ai dit que c'était bientôt fini. Il m'a répondu qu'il s'en venait.

Peu de temps après que j'aie raccroché, le cœur de Mom a cessé de battre, et ses poumons ont arrêté de se remplir d'air.

Ma mère est décédée hier matin à quarante-six ans d'un cancer du sein qui a dégénéré en cancer généralisé. 😞

(…)

Cela fait plus de deux mois que je n'ai pas écrit de message sur mon blogue.

L'avant-dernier billet, c'était celui qui portait sur notre escapade chez l'entrepreneur en pompes funèbres.

Ça m'a fait tout drôle de le relire.

Tout cela me semble si loin, même si ça ne fait qu'un peu plus de deux mois.

En rétrospective, ma mère m'a préparée à sa mort sans vraiment que je m'en rende compte. Un peu comme on fait avec des allergies, elle m'a désensibilisée lentement.

Elle a été une maman exemplaire jusqu'à la fin. ◠◠

(...)

C'est un concours de circonstances qui fait en sorte que je n'ai pas pu écrire. L'ordi a été assailli par de multiples bogues. Une fois qu'il a été nettoyé, Fred a échappé un verre de lait sur l'appareil.

Mais je dois dire que je n'avais pas vraiment le temps d'écrire. Quand je n'étais pas à l'école, je m'occupais de Mom.

On a passé du temps de qualité ensemble. On a regardé des films, on a joué aux cartes, on a parlé, parlé, parlé, on a beaucoup ri et un peu pleuré.

Il y avait des moments où elle perdait complètement le contact avec la réalité.

Ce n'était pas jojo. Elle avait des crises de paranoïa. Elle me disait que les médecins et les infirmières voulaient lui injecter des maladies. Ou qu'ils testaient des médicaments sur elle.

Elle me suppliait de l'aider. De la sauver. ☹

Pop et moi avions beau essayer de la rassurer, rien ne fonctionnait. Il fallait lui donner un calmant.

Pas en cachet, parce qu'elle les recrachait, mais en piqûre.

Elle dormait douze heures de suite, et lorsqu'elle se réveillait, on faisait comme si rien ne s'était passé.

Ça a été une épreuve pour tout le monde, mais il me semble que ça a été encore plus difficile pour Fred. Il fuyait dans sa chambre quand Mom avait ses crises.

Il n'a jamais voulu nous parler de ce qu'il ressentait. Dès que Mom abordait le sujet de sa maladie, il se refermait comme une huître.

Je crois qu'il était en déni.

Jusqu'à tout récemment, il espérait qu'elle guérisse.

Elle est restée à la maison jusqu'à Pâques. Ce n'était plus possible pour Pop de s'occuper d'elle à temps plein. Il en avait plein les bras.

Mom se sauvait de la maison, elle hurlait en pleine nuit, elle n'allait plus à la salle de bains, elle frappait, mordait, elle ne voulait plus s'habiller. Ouf… J'ai des frissons quand j'y repense.

Mais il lui arrivait de redevenir comme avant, douce, attentive et drôle, pendant une journée ou deux. Puis, en un claquement de doigts, elle devenait confuse et se mettait à vociférer des insultes.

Pop voulait absolument que Mom reste le plus longtemps possible à la maison. Il est allé jusqu'au bout de ses capacités – et des nôtres.

Grand-Papi a été rapidement dépassé par la tâche : il est parti vivre chez un ami à la fin mars.

Et puis, Pop a recommencé à boire en cachette. 😫

Et Fred et moi, on s'engueulait tout le temps.

On a donc décidé, toute la famille, Fred, Tintin, Pop et moi, qu'il valait mieux pour tout le monde que Mom soit hospitalisée.

(…)

Avant de mourir, Mom était dans le coma depuis deux jours, et elle respirait difficilement depuis une journée. Le cancer, qui s'était emparé de tous ses organes vitaux, l'a étouffée et l'a finalement emportée. 🙁

Est-ce qu'elle a souffert lors de ses derniers jours d'agonie ? Selon son médecin et les très gentilles infirmières qui se sont relayées, la réponse est non. Parce qu'on lui a donné des doses de morphine qui l'ont rendue inconsciente.

Ce n'est pas une belle expérience d'entendre sa mère râler comme si chaque fois qu'elle prenait son souffle, c'était le dernier.

Parlant du dernier souffle… j'avais vraiment peur d'être présente quand elle allait mourir. Je ne sais pas pourquoi. Peut-être parce qu'il est naturel pour un être humain de craindre la mort.

Quand j'ai dit à Pop que j'étais prête à prendre sa place quelques heures, le temps qu'il aille prendre une douche à la maison et qu'il dorme plus de trois heures de suite, je me suis croisé les doigts pour que Mom ne trépasse en ma présence.

Mom ne s'est pas laissé faire. Même si elle connaissait l'issue de la guerre contre son cancer, elle a mené chaque bataille dignement, et ce, même si elle souffrait le martyre. ☹

Quand on a magasiné les cercueils, elle était déjà très maigre. Elle ne mangeait plus et n'avait que la peau sur les os.

Elle a vécu deux mois de plus !

Avant de m'endormir, la veille de son décès, je lui ai parlé. Les infirmières m'ont dit qu'elle m'entendait, même si elle était comateuse.

Je ne sais pas si c'est vrai. Mais j'ai lu que parler à un malade en phase terminale fait du bien aux proches.

Quoi qu'il en soit, quand l'infirmière m'a réveillée pour me dire que le pouls de ma mère était irrégulier, j'ai pris la main de Mom, et je lui ai parlé dans l'oreille.

Je lui ai dit d'arrêter de se battre, que Fred et moi, on allait s'en sortir. Je lui ai dit qu'elle avait été une excellente mère, que j'allais m'occuper de Pop et qu'elle pouvait mourir en paix.

Quelques secondes après avoir embrassé son front (ce qu'elle aimait tant), elle a ouvert les yeux et m'a souri. Elle les a refermés, et elle est morte.

Toujours avec le sourire aux lèvres.

C'était à la fois beau et tragique. 😲

Je suis sortie de la chambre, et je suis allée au poste des infirmières. Je les ai avisées du fait que Mom avait cessé de respirer. L'une d'elles est venue avec moi dans la chambre en passant son bras sur mes épaules. Elle a posé son stéthoscope sur la poitrine osseuse de Mom.

Elle a confirmé qu'elle était bel et bien décédée.

Et voilà comment s'est terminé le voyage de ma mère.

Pendant des semaines, je me demandais vraiment comment j'allais réagir le jour J. J'avais peur de péter les plombs.

Or, ça s'est très bien passé. Parce que, comme je l'ai écrit plus haut, Mom m'avait préparée à son départ.

À son chevet, la tête posée sur son lit de mort, j'ai pleuré, mais davantage de soulagement que de peine.

Il était temps qu'elle meure. Elle a tellement souffert, c'est horrible!

Et sans vouloir tout ramener à moi, j'en ai bavé aussi. J'ai passé plusieurs nuits blanches, j'ai fait de l'anxiété, je n'arrivais plus à me concentrer à l'école, j'ai versé des torrents de larmes…

Mais tout cela est derrière moi.

Et ce matin, quand je me suis levée, j'étais la fille la plus heureuse du monde.

Et je me sens coupable parce que c'est un sentiment affreusement égocentrique.

Les prochains jours ne seront pas faciles. Ce sera l'exposition, les funérailles, l'enterrement…

Mom nous a demandé de vivre notre deuil de manière joyeuse. On va essayer!

****

Nous parlons aux morts

Un être cher est décédé et vous désirez le contacter? Nous pouvons vous aider. Nous sommes une compagnie spécialisée en nouvelles technologies, et nous avons developpé, sans le vouloir, une machine pour parler aux morts. En échappant une fourchette dans un grille-pain, nous avons créé un canal de communication entre notre monde et l'au-delà. On ne sait pas trop comment ça marche, mais depuis, on a pu discuter avec Albert Einstein, Cléopâtre et Gollum du *Seigneur des anneaux*. Pour une modeste somme, nous vous permettrons d'utiliser notre invention afin de parler avec l'un de vos défunts. Veuillez noter qu'il faut poser sa langue sur la fourchette pour que ça fonctionne.

www.pasrecommandeaux
cardiaquesetauxfemmesenceintes.com

****

Maman, où es-tu ?

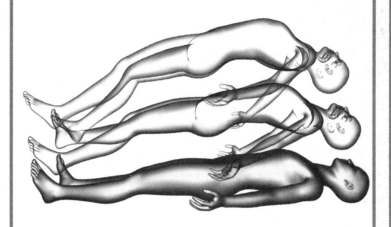

Namxox

> **Partie pour aller où ?**

C'est un sentiment très étrange de penser que Mom n'est plus là. Et qu'elle ne reviendra jamais.

Dans les derniers mois, je pensais constamment à elle parce que je m'inquiétais. Et puis, du jour au lendemain, je n'ai plus à le faire.

C'est comme si je vivais une autre vie que la mienne.

C'est fou de penser que je ne reverrai plus *jamais* ma mère. Que je ne pourrai plus la toucher ni lui parler.

Je suis triste, mais pas atterrée.

Pas comme lorsque Zac est mort. C'était tellement subit, tellement brutal.

Tout le contraire du décès de Mom, qui a été interminable.

Je me demande ce qui arrive après la mort.

Elle est où, Mom, présentement ?

Est-ce qu'elle peut me voir ?

Je ne vais certainement pas trouver une réponse à cette question qui hante l'humanité depuis des milliers d'années. Mais ça m'intrigue quand même.

J'ai lu que l'âme, qui est unique à chaque être humain sur Terre, a un poids : 21 grammes.

C'est sérieux. En 1907, un médecin américain, Duncan MacDougall, a pesé des êtres humains au moment de leur mort. Il a fait le test sur six patients, et les six ont perdu exactement ce poids au moment de trépasser.

Par la suite, il a testé sa théorie sur de pauvres chiens qu'il a empoisonnés (quinze!). Aucun n'a connu de modification de masse lors de son décès.

Le médecin en a conclu que l'âme existe uniquement chez les êtres humains et qu'elle a un poids.

(Des scientifiques ont par la suite réfuté cette théorie, assassins de poésie funeste!)

Ving-et-un grammes, c'est l'équivalent de quatre plumes. Ou une cuillerée à soupe de sel. Ou cent cinq moustiques. Ou cinq mille deux cent cinquante flocons de neige.

Pas super lourd.

Mais assez pour que l'âme ait une présence physique quantifiable.

Supposons que c'est vrai.

Les âmes vont où après être sorties du corps?

Se rendent-elles à un endroit spécifique?

Peuvent-elles se parler entre elles?

Est-ce qu'elles nous «voient»? Est-ce qu'elles nous «entendent»?

Est-ce qu'elles se réincarnent dans d'autres corps?

Y a-t-il un paradis et un enfer?

Si on désire perdre du poids, peut-on vendre son âme au Diable? 😎

Malheureusement, je n'aurai jamais les réponses à ces questions.

(…)

L'ambiance dans la maison est bonne. Grand-Papi est revenu, Fred parle de son film – il n'a toujours pas décroché de cette idée étrange ; il a même trouvé son acteur principal -, Tintin est silencieux et Pop s'occupe des détails des funérailles. Il doit entre autres faire livrer le cercueil de Mom à la maison funéraire.

Wolfie va venir me voir ce soir, après le boulot.

Il a été un super *chum*. Vraiment. Compréhensif, patient.

Je l'adore !

Mais…

Mais si je veux être parfaitement honnête, je ne suis plus sûre de l'aimer d'amour. D'amitié, ça, oui.

Mais d'amour ? Non. 🙁

Et je ne peux pas le lui dire.

Pas après tout ce qu'il a fait pour moi dans les derniers mois.

Ce serait d'une ingratitude crasse.

Genre : pendant que j'avais besoin de toi, tu as été là, maintenant que le pire est passé, je vais casser.

Wolfie, de son côté, ne cesse de me dire à quel point il m'aime. Il m'a même dit qu'il avait l'intention de m'épouser le jour de mes dix-huit ans !

Il a travaillé d'arrache-pied pour me faire accepter par son père. Il l'a même convaincu de récupérer son téléphone cellulaire. De cette façon, si j'avais une urgence, je pouvais le rejoindre n'importe quand et n'importe où.

Quand j'avais peur ou que j'étais troublée, il passait des heures au téléphone à m'écouter et à me consoler.

Il m'a offert une super belle bague en or avec un diamant (un vrai!).

Ce serait inhumain de rompre. Je vais passer pour une garce finie. Une fille qui exploite les gars et les jette comme de vulgaires pelures de bananes une fois que je n'ai plus besoin d'eux.

Je ne sais pas ce qui s'est passé.

Il n'a pas changé. Il est toujours aussi beau et gentil.

Ce n'est pas lui. C'est moi.

Je ne suis même pas tombée amoureuse d'un autre garçon. Je suis simplement blasée.

Peut-être que quand les funérailles vont être passées, quand la poussière va retomber, je vais réaliser que je suis encore amoureuse de lui.

Peut-être.

Est-ce ça, l'amour? Au début, c'est la folie, le cœur qui bat fort, fort, fort, les sensations agréables au bas du ventre, l'excitation qui est à son comble quelques instants avant de revoir son amoureux; puis, la routine s'installe, le temps passe et l'amour s'émousse.

Comment mes parents ont-ils fait pour être si longtemps ensemble?

Pas juste eux… Ces milliers de couples qui passent dix, vingt ou trente ans ensemble, c'est quoi, leur secret?

Moi, au bout de trois mois, je décroche.

Fred et sa blonde, Léana, filent le parfait bonheur. S'ils sont dans la même pièce, c'est sûr qu'on va les retrouver collés. Ils se disent constamment qu'ils s'aiment. C'est énervant!

Chaque fois que je sens que je dois réaffirmer mon amour pour Wolfie, comme après qu'il m'ait dit qu'il m'aimait, mon cerveau commande les mots, mais mon cœur me rappelle que ce n'est pas sincère.

– Mais je l'aime d'amitié, je lui dis pour le convaincre.

– C'est vrai, rétorque mon cœur. Mais quand tu lui dis que tu l'aimes, tu ne le spécifies pas.

– Je le sais. T'es là pour me le rappeler à chaque fois.

– T'es malhonnête.

– Tu ne pourrais pas me lâcher un peu, cœur? Tu ne trouves pas que ces derniers temps, j'ai vécu assez de moments pénibles?

– D'accord, d'accord. Je te rappelais simplement qu'être hypocrite, ce n'est pas notre genre.

– Arrête, t'es dur! Tu devrais te contenter de pomper le sang dans mon corps.

– Je déteste quand tu me traites comme un vulgaire morceau de viande.

– Bon, bon, bon. Arrête, tu vas me faire pleurer.

– Pfff, comme si tu avais besoin de ça, tu pleures tout le temps!

– T'es chien!

À noter: cette conversation s'est passée dans ma tête, et non à haute voix et en public. 😊

Anecdote de bébitte droit devant

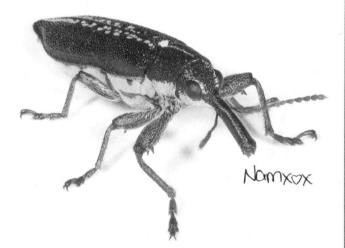

Namxox

> *The Show Must Go on.*

Mom est morte, sa vie est terminée, mais pas la nôtre.

On doit poursuivre notre chemin. Et la prochaine étape, ce sont les funérailles.

J'ai quand même hâte que tout soit terminé.

Je veux retourner à l'école pour reprendre une routine normale et rassurante.

Il me sera difficile de voir ma mère couchée dans son cercueil.

Je l'ai vue morte à l'hôpital, mais c'était différent.

Là, elle va être maquillée et bien habillée.

L'organisation des funérailles n'est pas stressante parce que Mom a tout prévu. C'est même elle qui a fabriqué sa robe. On a choisi le tissu et le modèle ensemble. Il lui a fallu l'aide d'une couturière pour la finition et les ajustements, mais quatre-vingt-dix pour cent du travail, c'est elle qui l'a fait.

Elle travaillait quand elle le pouvait, pas plus d'une demi-heure par jour parce qu'elle était rapidement exténuée.

Je dois avouer que j'ai douté d'elle. Je ne pensais pas qu'elle allait y parvenir. Je me suis trompée.

J'y pense, je n'ai pas encore raconté ce que Mom a fait une fois qu'on a acheté son cercueil.

Dans l'auto, on a ri quelques minutes des réactions de la pauvre dame qui ne savait plus où donner de la tête avec toutes les questions aberrantes de Mom. Puis, je lui ai demandé :

– Pourquoi tu fais livrer le cercueil à la maison ? C'est *creepy*.

– Je veux dormir quelques nuits dedans pour m'y habituer.

– Mom, arrête.

– D'accord. C'est parce que je veux qu'on le décore.

– Mooom...

– C'est vrai, cette fois !

– Le décorer ? Avec quoi ?

– Ce qui nous chante. Je veux que ce soit un cercueil qui me ressemble. On pourra le peinturer, y coller des trucs, ajouter des lumières. Je vais te demander de m'aider. Frédérick aussi pourra y ajouter sa touche. Et Tintin, bien entendu.

J'ai réfléchi quelques instants.

– On a le droit de faire ça ?

– Oui. Tant et aussi longtemps qu'il n'y a rien d'obscène.

– Un nain lutteur, c'est obscène ?

– Euh... Je ne sais pas. Ça ne me représente pas vraiment.

– C'est juste que ces temps-ci, Fred est obsédé par les nains.

– Les petites personnes, tu veux dire.

– Ouais, les petites personnes. Alors attends-toi à

ce qu'il tente d'en dessiner une sur ton cercueil.

Mom a démarré l'automobile.

– Si c'est ce qu'il veut…

– Non, pitié. Ne le laisse pas faire ça.

Nous avons roulé pendant quelques kilomètres. Puis, elle m'a dit :

– J'ai eu une autre idée.

– Est-ce que je devrais avoir peur ?

– Je ne pense pas. Que dirais-tu si j'organisais mes funérailles, mais pendant que je suis vivante ?

– Organiser dans quel sens ?

– Eh bien, on va faire comme si j'étais morte. Je vais être dans le cercueil, et on va inviter les gens à me rendre un dernier hommage.

– C'est… Euh… Bizarre.

– Oui, mais je crois que c'est une bonne idée. Je veux que ce soit une fête. Je ne veux pas que ce soit triste. Et ça pourrait vous faire une générale avant la première.

– Qu'est-ce que tu veux dire ?

– C'est une expression de théâtre. Une générale, c'est la pièce au complet, mais sans public.

– Ouais, OK. T'en as parlé à Pop ?

– Non, t'es la première avec qui j'en discute. Tu m'appuies ?

– Ouais, je t'appuie.

Elle m'a offert sa main. Je l'ai prise, et je l'ai embrassée. 😯

Je n'étais pas à la maison quand on a livré le cercueil quelques jours plus tard. Mais ça a créé une petite commotion.

C'est que Mom avait «oublié» de dire à Pop qu'elle avait fait un gros achat. En fait, elle n'avait pas du tout oublié, elle voulait seulement lui faire une surprise.

Et une surprise, ça en a été toute une!

Mom dormait. Quand Pop a ouvert la porte, deux gars (des jeunes) lui ont dit qu'ils venaient pour la «livraison».

– De quoi?

Les deux gars se sont regardés, puis l'un d'eux a dit:

– Du cercueil.

– Quoi?

Un des mecs a regardé sa feuille de livraison. Il a mentionné le nom de ma mère et notre adresse.

– C'est bien ici?

– Oui, a fait mon père. Mais personne n'a rien commandé. Surtout pas de cercueil.

Sur ces entrefaites, ma mère est apparue derrière mon père.

– Oh, oui, c'est pour moi, le cercueil. Il y a de la place dans le garage?

– Non, a dit mon père, pas tout à fait certain de comprendre ce qui se passait. Je dois en faire.

– Bon, eh bien, entre temps, on va l'entreposer dans le salon.

Bref, quand je suis arrivée de l'école, la première chose que j'ai vue, c'est ça. Mon frère aussi.

C'était... *weird.*

Et un peu épeurant. Surtout pour mon frère.

– Qu'est-ce que c'est ça? a demandé Fred.

– Tu ne vois pas? C'est un nouveau canapé.

– Nam, c'est un cercueil.

– Pas vrai!

– Arrête de niaiser. Pourquoi il est là?

J'ai vu son visage se décomposer. Il croyait que Mom était morte!

– Fred, panique pas, maman est encore vivante. Ce n'est pas comme ça que ça se passe quand quelqu'un meurt. On ne nous livre pas un cercueil pour le mettre dedans.

– T'es sûre? il a demandé en s'approchant lentement, comme un chat devant un objet qui le rend nerveux.

– Ouais, je suis sûre. C'est Mom et moi qui l'avons acheté samedi dernier.

Fred a posé la main sur le cercueil.

– Où?

– Au dépanneur, Fred. Il était dans le frigo à bières.

J'ai ricané, fière de mon calembour.

– Hein?

– C'est un jeu de mot exquis que tu ne peux pas comprendre. Une bière, c'est un synonyme de cercueil.

– Parlant de ça, tu savais qu'en Australie, il y a une espèce d'insectes en voie de disparation parce que les mâles tentent constamment de copuler avec des bouteilles de bière abandonnées?

– Hum. Je ne savais pas. Merci pour cette information.

Fred continuait de scruter le cercueil.

– Tu penses qu'il y a quelque chose dedans?

- Nan. La dame nous a bien dit que le cadavre n'était pas fourni.

- Dommage.

C'est à ce moment que le couvercle s'est relevé et que Mom est apparue en criant : « BOUH ! ».

J'ai sursauté, mais mon frère... comment dire ? Il a décollé. Il s'est envolé. Pfiou ! Il s'est frappé la tête au plafond. Tout en hurlant comme une fillette qui vient de recevoir un chien pour Noël.

Mom s'est trouvée hilarante. Moi aussi, j'ai trouvé cela drôle.

Pas mon frère. Il était insulté. Et Youki, mon p'tit chien d'amouuur, s'est mis à japper comme un possédé.

Je ne sais pas si ce sont les métastases au cerveau ou le fait qu'elle allait bientôt mourir et que subitement, toutes les idées qui lui traversaient la tête étaient acceptables, mais Mom est devenue une boîte à surprise.

Elle était si réservée avant sa maladie. Elle ne faisait jamais de blagues. Elle ne jouait jamais de tours.

En fait, c'est comme si elle régressait. Comme si elle retournait en enfance.

Ce n'était pas toujours désagréable, même si, des fois, elle poussait un peu le bouchon.

(…)

Demain, c'est le premier jour d'exposition de Mom. Ça commence à dix heures. Je suis nerveuse !

Je vais lire un peu pour me changer les idées.

Publié le 17 mai à 7 h 23
Humeur : anxieuse

> Mom, fais que ça passe vite!

J'ai très mal dormi, cette nuit.

Avant de me coucher, j'ai essayé de lire, mais je n'arrivais pas à me concentrer. Je devais me taper la même phrase trois fois pour la comprendre. À chaque mot, je décrochais.

J'ai éteint la lumière de ma lampe de chevet et j'ai fermé les yeux. Rien à faire : une heure plus tard, j'étais toujours éveillée.

J'ai regardé la télévision. Il y avait un festival de l'émission *Ma chirurgie ratée*, où des hommes et des femmes racontent qu'ils sont allés dans des pays étrangers pour payer beaucoup moins cher un chirurgien louche qui les a massacrés avec des instruments stérilisés aux crachats.

Une femme, qui a cumulé trois boulots pour se payer une augmentation mammaire, avait un trou gros comme un raisin sous un sein. Elle pouvait y entrer son index complètement et toucher sa prothèse. Beurk!

Un homme a fait refaire toute sa dentition. Un mois plus tard, ses dents tombaient les unes après les autres.

Une femme s'est fait injecter (sans le savoir, bien sûr) de l'huile de cuisson dans les fesses.

Une autre a subi une réduction mammaire. Le chirurgien a placé ses mamelons beaucoup trop haut, c'était ridicule. Quasiment sous son menton.

Je me disais que ces émissions allaient m'endormir, mais non. Ça m'a captivée jusqu'à trois heures du matin!

Si je m'étais écoutée, je serais toujours devant la télévision.

Je me suis réveillée sans réveille-matin à sept heures, le ventre noué.

Si je le pouvais, je sauterais volontiers par-dessus les deux jours qui viennent.

Je suis tannée de la maladie et de la mort.

Je veux de la joie! Des rires! Du jojoba!

(...)

Ma robe est prête. Elle est noire et à manches longues. Jolie, mais sobre.

Je suis allée l'acheter avec Mom. Ç'a été notre dernière sortie ensemble.

Parce que je la savais fatiguée, je n'ai pas fait de chichis. Je l'ai trouvée dans le premier magasin qu'on a vu.

Acheter un cercueil a été moins pénible, pour moi, que de me procurer une robe. Une robe que j'allais porter spécifiquement pour ses funérailles.

Quand je suis sortie de la salle d'essayage, Mom s'est effondrée.

Elle était la plupart du temps forte devant l'adversité. Mais parfois, il lui arrivait de pleurer pour des riens. J'ai vite appris à dédramatiser.

- C'est si laid ?

Elle a apprécié ma blague.

- Tu es si belle, elle m'a dit en souriant. Tu es devenue si grande.

- Je peux porter des échasses pour t'impressionner encore plus.

- Ça va aller. Tu me dépasses depuis que tu as douze ans.

Fred aussi est allé magasiner avec Mom. Pour ne pas le brusquer, elle ne lui a pas dit que c'était en prévision de son décès. Elle a justifié la sortie en affirmant que c'était pour son bal des finissants.

Si elle lui avait dit que c'était pour ses funérailles, mon frère ne serait jamais sorti avec elle.

J'ai reçu un coup de fil. C'était Fred :

- Je sais pas quoi faire, maman arrête pas de pleurer.

- T'es où ?

- Je suis à la toilette.

- Elle t'a vue en habit, c'est ça ?

- Ouais.

- Elle t'a dit que tu étais devenu grand ?

- Aussi. Et que je l'ai dépassée à quatorze ans. Pourquoi elle est comme ça ? Crime, chaque fois que je change de cravate, elle éclate en sanglots.

- Elle a fait la même chose avec moi. Essaie de lui changer les idées.

- Tu vas porter une cravate ?

- Fred, c'est pas la cravate qui la fait pleurer. C'est... Tu sais... Elle est fière de toi. Et elle t'aime.

– Eurk. Je vais raccrocher.

Il y a quelque chose que Fred ne saisissait pas chez Mom. Ils n'arrivaient pas à se parler «des vraies choses», comme on le faisait, elle et moi.

Une fois, elle lui a demandé, sans détour, comment il se sentait face à sa mort imminente. J'étais dans ma chambre en train d'étudier. Je suis sortie lorsque j'ai entendu Fred hurler.

Je l'ai croisé dans le corridor, et quelques instants plus tard, il claquait la porte de sa chambre.

Il était en colère contre Mom parce qu'elle avait osé aborder le sujet de son décès. Il criait:

– Pourquoi toujours toutes ces questions? Pourquoi? Ça te rend heureuse?

Je suis allée retrouver Mom à la cuisine.

– Ton frère est de mauvaise humeur, elle m'a dit.

Après, peut-être parce qu'il craignait qu'elle aborde de nouveau la question, il a toujours évité de se retrouver seul avec elle.

Lorsqu'elle est décédée avant-hier, il n'a pas voulu aller la voir à l'hôpital.

Je ne l'ai pas vu pleurer. Dès que Pop, Grand-Papi, Tintin ou moi exprimons des émotions, il déguerpit.

Et ce matin, il montre des signes d'un gars qui ne veut pas aller au salon funéraire. Il se plaint constamment en disant que son habit est inconfortable, qu'il a trop chaud, qu'il a l'air ridicule.

Moi non plus, je n'ai pas le gout d'y aller. Vraiment pas. C'est normal: qui a du plaisir à voir un de ces proches dans un cercueil?

Je comprends que Fred a peur. C'est la manière qu'il a de s'exprimer. Il n'est pas capable de verbaliser ses émotions. Alors il parle avec son comportement.

Mom m'en a parlé, il y a quelques semaines. Elle m'a dit d'être patiente avec lui et de respecter son rythme.

Sauf que pour l'exposition et les funérailles, ça se passe aujourd'hui et demain. On ne peut pas attendre qu'il soit prêt, parce qu'il ne le sera jamais.

Allez, courage, Nam!

> **> Une de faite !**

La première journée est enfin terminée. Si je n'ai pas serré mille mains et reçu mille baisers, je n'en ai pas serré une ni reçu un.

C'est fou comme il y avait du monde.

Et c'est fou à quel point Mom était appréciée.

Je ne connaissais pas la plupart des gens que j'ai vus. Il y avait des camarades de travail, mais aussi des gens avec qui elle est allée à l'école.

Il y avait aussi des gens avec qui Pop travaille. Et ses amis.

Et les amis de Grand-Papi.

Des gens de ma famille que je n'avais jamais vus de ma vie.

Je n'ai pas vu la journée passer.

L'exposition commençait à dix heures, mais Pop, Fred, Tintin, Grand-Papi et moi nous sommes rendus sur place à neuf heures pour passer du temps seuls avec Mom.

Quinze minutes avant de partir, Fred s'est mis à se plaindre du fait qu'il avait mal au ventre.

Pop, qui ne croyait pas à son malaise, l'a rabroué.

– Tu ne vas pas rester à la maison le jour où ta mère est exposée.

Fred, bien entendu, s'est braqué.

– Je suis malade !

– Tu n'es pas malade.

– T'es pas dans mon corps. Tu peux pas le savoir.

Aujourd'hui particulièrement, je n'avais pas le goût d'assister à une confrontation.

Ça peut durer de longues minutes, et le ton peut monter jusqu'à ce qu'il y ait des cris.

Pop en bave avec sa cure de désintoxication, et Fred n'accepte pas la mort de Mom. Ce ne sont pas de bonnes conditions pour discuter intelligemment.

Je suis intervenue avant que ça ne vire à la foire d'empoigne.

– Viens ici, j'ai dit à Fred. Je vais refaire le nœud de ta cravate.

Nous sommes entrés dans la salle de bains.

J'ai relevé l'encolure de sa chemise et dénoué sa cravate.

– Je te crois quand tu dis que tu as mal au ventre, j'ai fait sans le regarder.

– J'espère.

– C'est normal. J'ai aussi mal au ventre. Et j'ai mal au cœur. Et je tremble.

– Pourquoi?

– Parce que je ne veux pas aller aux funérailles. Mais tu sais quoi? Il faut penser à Mom. Et à Pop. Il vit des moments difficiles.

– Moi aussi, je vis des moments difficiles.

– T'as raison. On en bave tous. Mais il faut être solidaires. Si on est solidaires, si on s'encourage, on va passer plus facilement à travers cette période difficile. Pop a besoin de nous comme on a besoin de lui. Grand-Papi aussi est dévasté, il a besoin de notre soutien.

J'ai ajusté sa cravate, et je suis sorti de la salle de bains.

Il n'a plus reparlé de son mal de ventre. Jusqu'à ce qu'il demande à Pop, alors que nous étions en chemin pour le salon funéraire, d'arrêter l'automobile.

– Pourquoi? a demandé mon père.

– Je vais être malade, a répliqué Fred, dont la peau du visage avait verdi.

Pop est entré dans le stationnement d'un supermarché, puis Fred a ouvert la porte avant que l'auto s'immobilise pour se soulager. 😑

Une dame passait avec son petit chien. Je ne sais vraiment pas pourquoi, mais en voyant mon frère dégobiller, elle s'est mise à courir comme si elle était pourchassée par une horde de guêpes en colère.

Si Fred avait hurlé comme un possédé, je ne dis pas. Mais il a fait son truc sans émettre un seul son.

Dans sa fuite désespérée, la dame a marché sur la laisse de son chien et a perdu pied. Elle est tombée vers l'avant, le ventre en sol.

En chutant, elle a lâché la laisse de son cabot, qui s'est mis à japper en fuyant.

Pop est sorti de l'auto pour aider la pauvre dame tandis que je suis partie à la recherche du chien.

Finalement, je l'ai trouvé pas très loin, sa laisse coincée dans un support à bicyclettes. La dame s'en est sortie avec quelques égratignures, rien de plus.

Une fois que je lui ai rapporté son chien, elle ne m'a même pas remerciée, et elle est partie en marchant rapidement. 😐

– Qu'est-ce qui vient de se passer? j'ai demandé à Pop.

– Aucune idée.

En revenant dans le véhicule, Fred avait les yeux rouges et remplis de larmes.

– Ça va? je lui ai demandé.

– Ouais. Ça fait du bien.

– T'as pas honte? T'as fait peur à une vieille dame et à son chien.

– Je sais. Tu crois que je devrais aller m'excuser?

– Trop tard. À l'heure qu'il est, elle est déjà sur une autre planète.

Même si la résidence funéraire n'est qu'à vingt minutes de la maison, le trajet m'a semblé durer une éternité. Je n'avais pas hâte de revoir Mom, mais en même temps, je voulais arriver là-bas le plus rapidement possible, voir Mom et enfin briser la glace

Grand-Papi est arrivé en premier, accompagné de Tintin, qu'il conduisait, parce qu'il nous a fallu faire une pause-vomi-et-venir-à-la-rescousse-d'une-personne-âgée-et-de-son-fidèle-compagnon-velu.

Sans attendre, Pop a pris les devants, et il est entré dans le salon. Fred était chancelant.

– Ça va aller? je lui ai demandé.

Il m'a fait non de la tête. Et pour la première fois depuis des mois, il a pleuré.

Le pauvre, il était terrifié. ☹

Pop a alors rebroussé chemin. Il a posé son bras sur les épaules de mon frère, et il lui a dit que tout allait bien aller.

Un homme nous a accueillis, le visage compatissant. Il nous a offert ses condoléances et nous a demandé si nous voulions voir la «défunte». Pop a dit oui.

Il nous a fait entrer dans une grande salle où, à l'entrée, sur un tableau noir, avec des lettres détachables, on avait écrit le nom de Mom.

Le cercueil, celui-là même qu'on a décoré en famille, était là, tout au fond de la pièce. Il était fermé et entouré de dizaines – il y en a vingt-deux – de couronnes et de bouquets de fleurs.

L'homme, comme s'il manipulait les ailes d'un papillon, a doucement ouvert la bière.

Mom était couchée, paisible, portant la robe qu'elle avait elle-même fabriquée.

Mon frère s'est alors effondré. Littéralement. Il s'est laissé tomber sur les genoux, penché vers l'avant, la tête sur le sol. Presque silencieusement, il s'est mis à pleurer.

Je crois que c'est à ce moment qu'il a réalisé que Mom était morte.

Pop l'a aidé à se relever, et ils se sont approchés de la dépouille.

Une fois la crise passée, Fred a été parfait le reste de la journée. Je ne l'ai pas entendu chialer, et il a été charmant avec tout le monde.

Avec son habit, ses cheveux brossés et sa barbe rasée, il avait l'air d'un homme.

Il me semble qu'il a vieilli de plusieurs années, aujourd'hui.

(…)

Tout ne s'est pas passé comme on l'avait prévu, cependant. Il y a eu un incident bizarre qui aurait certainement fait rire Mom.

Je vais le raconter demain, je suis vannée.

C'est lui
monsieur Internet

Namxox

Publié le 17 mai à 8 h 42
Humeur : placide

> Un dernier adieu.

Aujourd'hui, Mom sera exposée de dix heures à midi, puis il y aura ses funérailles dans la chapelle située dans la maison funéraire. Par après, on se rendra au cimetière où elle va être enterrée.

Ensuite, il y a aura une réception, et ce sera fini.

J'ai hâte.

C'est déjà assez difficile de vivre le départ de Mom, il faut aussi que je subisse la peine des autres.

Je ne parle pas de celle de ma famille immédiate, celle-là est normale.

C'est celle de personnes que je ne connais pas. C'est difficile à supporter de les voir se lamenter.

J'ai compté les signatures dans le registre, et il y en a plus de cent vingt-trois. Quatre-vingt-dix-neuf pour cent de ces personnes ont été agréables.

Elles se sont présentées à moi, m'ont embrassée, m'ont offert leurs sympathies, elle m'ont dit qui elles étaient par rapport à Mom, et certaines ont même partagé une anecdote sympathique.

Beaucoup ont déclaré que j'étais belle comme ma mère, ce qui m'a flattée.

Puis, deux vieilles tantes de Mom, toutes de noir vêtues avec un chapeau à filet qui leur recouvrait tout le visage, sont apparues.

Des femmes qui, d'après leurs dires, ne m'ont vue qu'une fois et qui m'ont demandé si je me souvenais d'elles. J'ai souri et j'ai dit non. Elles ont semblé déçues. Puis, elles ont en éclaté en pleurs en s'accrochant à moi tout en geignant des trucs incompréhensibles.

Grand-Papi et Pop sont venus à ma rescousse, et ils les ont éloignées de moi.

Je me sentais mal parce que je croyais que j'étais la responsable de cette explosion lacrymale. Est-ce que j'aurais dû me souvenir d'elles? Auraient-elles joué un rôle déterminant dans ma vie sans que je le sache?

Grand-Papi m'a dit de ne pas m'en faire car 1) j'avais un an ou deux la dernière fois qu'elles m'avaient vue et 2) c'était sur une photo que Mom leur avait fait parvenir.

Je me demande encore comment elles ont pu penser que j'aurais pu garder un souvenir d'elles.

Ce n'était que le début d'un épisode bizarre de la journée.

– Je les croyais mortes depuis dix ans, a glissé Grand-Papi à mon oreille quand il a réussi à s'en débarrasser.

– Elles le sont peut-être et ne le savent pas encore, a répondu Pop. Elles sentent tellement le parfum que c'est nécessairement pour cacher une odeur désagréable.

Mon père et mon grand-père gardent un mauvais souvenir d'elles.

Entre autres parce que, lorsque ma grand-mère est décédée, il y a eu une réception chez Grand-Papi après la cérémonie. Sans son consentement, elles sont reparties avec des souvenirs, comme des photos, un chandelier, de la vaisselle et un oreiller.

J'ai entendu dire que ces deux dames distinguées vivent ensemble depuis toujours, qu'elles ont entre vingt et trente chats dans leur maison et qu'elles sont des accumulatrices. Leur demeure est remplie (jusqu'au plafond!) d'objets divers.

Elles n'arrivent pas à jeter quoi que ce soit, qu'il s'agisse de reçus, de tracts publicitaires ou de boîtes d'œufs, car selon elles, tout peut servir un jour. (Monsieur Internet me dit que c'est une maladie qui s'appelle la syllogomanie. Merci, monsieur Internet!)

Dès qu'elles ont vu Mom, elles se sont mises de nouveau à pleurer comme des Madeleines. Il m'a semblé qu'elles voulaient attirer l'attention. Si c'est ce qu'elles voulaient, eh bien, elles ont réussi.

(Monsieur Internet me dit que l'expression «pleurer comme une Madeleine» n'a pas rapport avec la madeleine, le petit gâteau en forme de coquillage. C'est une bonne chose, parce que perso, croquer dans un dessert qui pleure, ça me coupe un peu l'appétit. Non, on parle ici de Marie-Madeleine, la prostituée dans la Bible qui, en rencontrant Jésus, a pleuré sur ses pieds et a essuyé ses larmes avec ses cheveux. Ce que vous en savez des choses, monsieur Internet!)

Grand-Papi s'est alors approché d'elles pour les observer.

– Pourquoi il fait ça? j'ai demandé à Pop.

– Oh, parce qu'elles vont probablement essayer de voler quelque chose.

– Voler ? À Mom ?

– Oui. Il faut les avoir à l'œil.

– Attends, elle vont voler un cadavre ? !

– Ça s'est déjà vu.

– *Weird.*

Je n'en croyais pas mes oreilles.

De fait, elles ont commencé à toucher les mains de Mom. Et son visage. Et ses oreilles. Elles tentaient probablement de déterminer si quelque chose pouvait facilement se détacher.

Je ne sais pas comment elles ont fait. Perso, je ne peux pas toucher à Mom. J'ai un blocage. J'ai vu certaines personnes le faire – mettre leurs mains sur les siennes ; pas commencer à masser ses cheveux, quand même –, reste que je ne suis pas capable. Je ne veux pas sentir son corps froid.

Ses deux tantes l'ont palpée au point où je me suis demandé si elles tentaient de déterminer si ma mère avait des ganglions.

Grand-Papi, gêné par leur comportement, les a invitées à aller s'assoir.

Quelques minutes plus tard, elles ont décidé de partir.

C'est là que je me suis aperçue que quelque chose clochait.

L'une d'elles, la plus grande, avait un objet rond et assez gros entre les jambes, sous sa jupe. Et elle marchait comme un pingouin qui souffre des hémorroïdes.

J'ai averti Papi.

Elle tentait de partir avec… une couronne funéraire. Pas très subtil.

Pop leur a demandé de laisser la couronne à sa place, et les deux sœurs ont argumenté ; elles voulaient garder un souvenir de ma mère, bla, bla, bla.

Pop n'a évidemment pas cédé.

Finalement, aux dernières nouvelles, elles seraient parties avec un rouleau de papier hygiénique des toilettes et le stylo qui servait au registre. (¨)

On a réussi à éviter le pire.

C'est à ce moment qu'une cousine de Mom est entrée. Et là, la situation est devenue carrément bizarroïde (ou, dans un langage plus joli, *ouatedephoquesque*).

* * * * * * * * * * * * * * * * * * * *

Peur des funérailles ternes ?

Pour une modique somme, nous pouvons vous louer des pleureuses professionnelles. Que ce soit lors de l'exposition, de la messe commémorative ou de la mise en terre, elles vous aspergeront de leurs larmes à chaque étape. Si vous désirez ajouter encore plus de drame, pour un montant supplémentaire, elles peuvent s'égratigner le visage, déchirer leurs vêtements, s'arracher les cheveux ou se frapper la tête sur les murs. Nos dames passionnées par leur métier repousseront les limites de l'exagération. Nous vous garantissons que vos convives et vous allez vous souvenir pour toujours de ces funérailles. Elles seront mémorables.

www.quandtropnestpassuffisant.com

* * * * * * * * * * * * * * * * * * * *

Pas sûre
que Grand-Papi
accepterait

Namxox

> ## C'est terminé

C'est fait : Mom est enterrée.

Comme dirait Tintin, c'est un chapitre de notre vie qui se termine et un autre qui commence.

Il y a un vide en moi.

Faudra que j'apprenne à vivre avec.

La messe commémorative et l'enterrement se sont passés (presque) comme prévus. Mom ne s'est pas réveillée en pleine cérémonie, on n'a pas échappé le cercueil (je l'ai porté avec Tintin, Fred, Pop et trois amis de Pop), personne ne s'est levé pour dire qu'il s'opposait aux funérailles, comme on peut le faire lors d'un mariage, et personne n'est tombé dans le trou destiné à accueillir le cercueil.

Sauf que... Sauf que le prêtre s'est trompé de personne.

Il a fait l'éloge funèbre d'une femme qui n'avait pas froid aux yeux (ouais, OK, mettons), qui aimait la nature (ça passe), qui ne craignait pas de manger de l'écureuil (hein ?) et qui était presque mariée à sa motoneige (quoiii ? !).

J'ai regardé Pop avec mes deux sourcils en forme de point d'interrogation.

Il m'a fait signe d'ignorer les paroles du curé.

Le prêtre a alors continué sur sa lancée en prétendant que le métier de cascadeuse de Mom lui avait permis de faire le tour du monde et, bien qu'elle soit décédée dans un accident aux circonstances insolites, il fallait se rappeler d'elle avec ses quatre membres et son visage plus humain que monstrueux.

C'est alors que Grand-Papi s'est levé et est allé parler au célébrant, qui est passé en mode avance rapide. Dès que la cérémonie s'est terminée, je ne sais pas pourquoi, on ne l'a plus revu.

On dit qu'il a acheté un billet d'avion aller seulement pour le Brésil.

Ça nous a fait bien rire. Et ça nous a donné le goût d'en apprendre plus sur cette dame cascadeuse. Tout le monde veut savoir quelles ont été les circonstances insolites de son accident.

À part ça, rien à signaler.

Grand-Papi m'a dit qu'il avait assisté à des dizaines de funérailles dans sa vie et que c'était la plus étrange, et de loin, qu'il avait vécue.

Normal, je lui ai dit, j'en faisais partie. Je suis un aimant à bizarre.

(…)

Quelques jours avant que Mom ne mette les pieds à l'hôpital pour ne plus jamais en sortir, on a reçu à la maison une trentaine de personnes pour une générale de ses funérailles.

Des gens proches d'elle qu'elle voulait remercier en personne pour avoir été dans sa vie et l'avoir enrichie.

C'était… comment dire? Spécial. Parce qu'habituellement, les funérailles se font lorsque la personne est décédée. Et parce qu'elle a insisté pour être couchée dans son cercueil.

Nous en avons discuté ensemble, toute la famille, lors d'un souper. Lorsque Mom a émis cette idée, les réactions n'ont pas tardé à fuser.

– Bon, c'est quoi encore, cette histoire? a demandé Grand-Papi.

– C'est simple, je veux seulement pouvoir dire au revoir aux gens que j'aime.

– Pourquoi on ne fait pas une simple fête? a fait Pop. Tu sais, comme les gens normaux.

Tintin a ajouté son grain de sel :

– Les gens normaux sont prévisibles et ennuyants. Moi, je trouve que c'est une bonne idée.

Fred a repoussé son assiette. 😕

– Pas moi.

Je me suis lancée dans la mêlée.

– C'est original. J'aime ça.

Mom m'en avait déjà parlé. Et elle m'avait demandé de la supporter parce qu'elle savait à l'avance que Pop, Fred et son père n'allaient pas apprécier l'idée.

– C'est morbide, a dit Grand-Papi. Pourquoi tiens-tu absolument à être couchée dans le cercueil?

– Parce que je n'ai jamais rien fait comme les autres. Tu devrais le savoir, papa, n'est-ce pas?

– Ça, je le sais. Tu vas me faire damner jusqu'au bout.

Que ma famille ait été d'accord ou non, on ne pouvait rien refuser à Mom. Si elle nous avait demandé de nous déguiser en gnomes, on l'aurait fait.

En tout cas, moi, je l'aurais fait.

Et Youki, mon p'tit chien d'amouuur.

De toute façon, c'était un fait accompli : Mom avait déjà averti ses invités pour le dimanche suivant.

On a passé le samedi à décorer son cercueil. On y a ajouté, entre autres, des fleurs séchées, on a fait des collages avec des photos de famille, et on l'a peinturé de plusieurs couleurs.

Ah oui, je ne sais pas pourquoi, et c'était totalement inattendu, mais Fred a voulu ajouter une image de son nain géant.

– Non, j'ai fait. C'est sérieux.

Fred l'a mal pris :

– Mon nain est sérieux ! Il veut anéantir la planète !

– Les enfants, a fait Mom, c'est assez. Frédérick peut ajouter ce qu'il veut. Tant que ce n'est pas indécent.

– Un nain, c'est indécent !

Mom m'a reprise :

– On dit petite personne, Namasté. Sois polie.

Donc, il y a l'image d'un nain lutteur en noir et blanc sur le cercueil de Mom. (͡° ͜ʖ)

Le jour suivant, on a reçu pour le brunch les invités de Mom.

On a placé le cercueil dans le salon, sur une table, et elle s'est couchée dedans, habillée de sa robe de circonstance.

Nous avions décoré la maison comme s'il s'agissait d'une fête : ballons de diverses couleurs, banderoles au plafond, boule lumineuse, chapeaux pointus et trompettes en carton.

Disons que le cercueil jurait un peu avec le décor.

Les gens n'étaient pas au courant de la mise en scène. Certains ont ri, d'autres sont restés silencieux, quelque peu abasourdis, mais personne n'est resté indifférent.

Plus important encore, personne n'a pris ses jambes à son cou, comme l'avait imaginé Grand-Papi.

C'était ma mère, après tout. Une femme qui aimait faire des mauvais coups et perturber un endroit trop calme à son goût.

Une personne très différente avec ses connaissances.

La Mom que je connaissais était plutôt sérieuse, allergique aux impolitesses, et ses blagues étaient toujours inoffensives.

La Mom à l'extérieur de la maison, sans enfants, rigolait sans cesse, jurait (parfois) et était reconnue pour ses blagues salées.

Dès qu'elle mettait le pied à la maison, elle reprenait son rôle de modèle.

Ma mère ? Vraiment ?

C'est ce qu'ont raconté certains invités. Mom, étendue sur ce qui allait devenir son dernier lit, a rigolé à plusieurs reprises. C'était le but : Mom devait garder les yeux fermés, ne pas bouger, bref, faire comme si elle était morte. Si la personne devant elle parvenait à la faire craquer, elle gagnait.

J'en ai appris beaucoup plus sur ma mère en deux heures que durant toute ma vie.

Il y a eu un seul incident pendant la journée. Pas grave, mais vraiment troublant.

Je vais le raconter plus tard, je vais aller casser la croûte.

Jackie a du coeur

Namxox

Publié le 17 mai à 21 h 53
Humeur: maussade

> **Pas le moment.**

Fallait que je m'y attende : Wolfie se doute de quelque chose à propos de mes véritables sentiments à son égard.

Il est venu me rejoindre à l'heure du souper. On a grignoté un peu, puis on a regardé un film. Habituellement, je pose ma tête sur ses cuisses pour qu'il me caresse les cheveux, mais pas cette fois.

Quand il s'est collé sur moi, je lui ai dit que j'avais chaud.

– Je suis désolée, je lui ai dit.

– Ça va. Je comprends.

Wolfie pense que je suis froide avec lui parce que je viens de vivre les moments les plus pénibles de ma vie. Pas parce que sa présence m'est de plus en plus insupportable.

C'est quoi, mon problème ? ! 😞 Pourquoi je ne suis plus amoureuse de lui comme au début ?

Et si c'étaient vraiment les évènements récents qui teintaient l'amour que j'éprouve pour lui ? Et si c'était temporaire ?

Je ne veux pas gaffer en lui annonçant que je ne l'aime plus.

Comme Mom m'a dit quand je lui en ai parlé, l'amour, c'est pour le meilleur, mais *surtout* pour le pire.

Nous peinturions son cercueil quand je lui ai demandé :

– Qui veut vivre le pire en amour ?

– Ça fait partie du contrat.

– Quel contrat ? Je ne l'ai pas signé.

– Dès que tu décides de former un couple avec quelqu'un, le contrat vient avec. Vous allez passer des bons moments, mais il va y en avoir de très laids. C'est comme ça que ça se passe. T'es une grande romantique, ma fille.

J'ai accusé Mom :

– C'est de ta faute si je suis aussi romantique. Toute mon enfance, tu m'as fait regarder des films avec des princes et des princesses et des fins heureuses.

– Tu crois que tu serais moins paumée si je t'avais obligée à regarder des films avec des couples qui se chicanent, se battent et finissent par s'entretuer ?

– Ça existe ?

– Ça existe dans la vie de tous les jours. On regarde des films pour s'évader, pas pour nous rappeler qu'on est en prison. Pas pour rien que la moitié des couples se séparent.

– Merci, Mom. Ça me fait vraiment du bien.

– Ça m'a fait plaisir, ma fille. Si t'as encore besoin de te faire remonter le moral, je suis là.

On a continué à travailler sur le cercueil quelques minutes avant que je lui demande :

– Comment je sais si Wolfie est le bon gars ?

– Tu ne peux pas le savoir. C'est le temps qui va te le dire. Fais-toi confiance et ne sois pas trop dure avec toi.

Elle m'a alors donné un coup de pinceau sur le nez. 😮

– Hey!

J'ai répliqué en lui en assénant un sur la main. Une minute plus tard, nous étions complètement barbouillées de peinture.

Voilà ce qui va me manquer le plus : Mom non pas comme une mère, mais comme une amie.

(…)

Les fausses funérailles de Mom se sont bien passées, sauf pour une de ses tantes, une des sœurs de Grand-Papi.

Elle est arrivée avec une amie et s'est dite étonnée que l'exposition ait lieu dans la maison, comme «dans le vieux temps» – ça aurait dû nous éclairer sur ce qui allait arriver quelques minutes plus tard.

(Effectivement, avant 1940, les corps étaient exposés dans les maisons, dans la pièce centrale. Les horloges étaient arrêtées à l'heure du décès, et la famille s'occupait de laver le corps. L'exposition pouvait durer jusqu'à trois jours, et on faisait porter au défunt des pantoufles parce que des chaussures, ça fait trop de bruit au paradis. Grand-Papi m'a raconté que garder un cadavre non embaumé pendant trois jours, c'est long, surtout l'été. Disons qu'au bout de quarante-huit heures, il pouvait y avoir des odeurs dans la maison. 😖)

Bref, Jacqueline, la sœur de Grand-Papi, quatre-vingt-deux ans bien sonnés, a embrassé tout le monde, a offert ses sympathies, puis elle est allée voir Mom.

Quelques instants plus tard, on a entendu un cri perçant.

On a vite compris la situation : Jacqueline ne savait pas que Mom était toujours vivante. Que ce n'était qu'une « pratique ».

Quand elle l'a vue ouvrir les yeux et lui dire : « Salut, tante Jackie ! », son sang s'est arrêté et a changé de direction.

Lorsque je suis entrée dans le salon, Jacqueline était sur le sol, inanimée, visage au sol. Et Mom, catastrophée, redressée sur ses coudes, s'en voulait à voix haute d'avoir tué sa tante, qu'elle savait souffrir de problèmes cardiaques, et disait qu'elle allait finir ses jours en prison.

C'était la panique sur le Titanic.

Compte tenu du fait qu'il y avait plus de médecins et d'infirmières au mètre carré dans la maison que dans un hôpital, Jacqueline a été immédiatement prise en charge.

Alors qu'un des invités s'apprêtait à composer le 9-1-1, la tante de Mom a relevé la tête et à dit : « Coucou ! » Et Mom de s'esclaffer.

C'était. Une. Blague.

Des semaines plus tard, je commence à peine à trouver sa friponnerie drôle.

J'imagine que dans quarante ans, je vais en rire de bon cœur quand je vais en parler à mes petits-enfants.

J'étais fâchée contre Mom. Déjà que la situation était particulière, à la limite du morbide, il a fallu qu'elle en ajoute une couche.

Elles nous ont tous eus. Je pensais que Grand-Papi allait avaler sa canne – il en a une depuis qu'il s'est foulé une cheville en pelletant. Pour utiliser une expression en mandarin, il *capotait ben raide*.

Pauvre lui : il ne restait que quelques semaines de vie à sa fille et sa seule sœur encore vivante mourait de peur devant ses yeux, son cœur explosant après une mauvaise plaisanterie.

Je sais que je l'ai écrit à plusieurs reprises, mais même si j'adore taquiner mes proches, lorsque ça m'arrive, ça m'insulte !

(…)

Je suis fatiguée.

En fait, je suis lasse.

Je n'ai le goût de rien faire.

Pas le goût de lire, pas le goût de regarder la télévision, pas le goût de manger, pas le goût d'écrire.

Je pourrais aller dans un bar et m'éclater en buvant des cocktails atomiques, des Bloody Mary, des Nez de chien, des Matins d'après ou des Gin tonic, mais je risquerais d'avoir *tellement* de plaisir en m'enivrant et de terminer ma soirée dans le conteneur à déchets que je préfère m'abstenir.

Ah oui, détail insignifiant, mais détail tout de même : je n'ai pas l'âge légal pour entrer dans un bar. Je n'aurais qu'à me coller une fausse moustache sous le nez.

Je vais plutôt aller rien faire dans mon lit.

(Y'a vraiment une boisson qui s'appelle Nez de chien. Je me demande si elle est froide et humide et si

elle possède quatre-vingt millions de cellules olfactives.
OK, bye!)

* * * * * * * * * * * * * * * * * * * *
Repartez à zéro

Vous menez une vie misérable? Vous avez commis
des erreurs irréparables qui vous hantent? Vous
aimeriez que votre existence soit un tableau noir
qu'on puisse effacer? Nous sommes là pour vous
aider. Notre expertise vous permettra de simuler
votre mort naturellement et de recommencer votre
vie à zéro. Vous serez traité dans notre salon
funéraire déguisé en salon de coiffure crade,
puis nous vous injecterons un médicament afin de
ralentir votre respiration et de vous rendre raide
et froid. Après votre enterrement, notre équipe
constituée de quatre anciens fossoyeurs évadés
de prison vous déterrera afin que vous puissiez
bénéficier de votre nouvelle vie. Nous fournissons
les nouvelles pièces d'identités et le chirurgien-
artiste qui réarrangera votre visage pour que vous
soyez méconnaissable. Avec Résurrection 3001,
votre avenir est rose. (Entre autres parce que le
médicament qu'on vous injecte pour vous rendre mort
vous fera voir rose.)

www.promisonvapasoublierdevousdeterrer.com

* * * * * * * * * * * * * * * * * * *

Ne me regardez
pas comme ça,
je blaguais

Namxox

Publié le 18 mai à 10 h 21
Humeur: hésitante

> Donne-toi du temps, Nam.

J'ai décidé que j'allais être patiente avec Wolfie. Pas question de casser ou de prendre un *break* (on va être honnête, prendre un *break*, c'est une manière de casser sans l'assumer).

J'ai texté avec Kim hier soir, et c'est ce qu'elle m'a suggéré. C'est une bonne idée.

Wolfie est un super bon gars, il a été là quand j'ai eu besoin de lui, et même s'il me tape sur les nerfs ces temps-ci, la moindre des choses que je peux faire est de laisser le temps passer. Si dans deux mois, rien ne s'est placé, j'agirai en conséquence.

D'autant plus que je me suis engagée à l'accompagner à son bal des finissants. D'ailleurs, je vais magasiner une robe cet après-midi avec Kim. Je voulais y aller en collant et en coton ouaté trop long, super usé et bleu pastel, mais il paraît que ça ne se fait pas.

Pfff.

Pour l'instant, ce sera le statu quo entre Wolfie et moi.

Entre temps, je vais lui demander de ne pas m'adresser la parole, de ne pas me regarder droit dans les yeux et de ne pas s'approcher à moins de deux mètres de moi (je vais traîner un bâton de cette longueur quand je vais être avec lui). 😄

Il m'a invitée au restaurant, ce soir. Un resto chic, en plus.

Et c'est lui qui paye !

Je vais enfin pouvoir manger de la viande de koala ! Miam miam !

Tellement gentil, ce Wolfie.

(…)

C'est la sonnette de la porte d'entrée qui m'a réveillée ce matin à huit heures trente.

Dès qu'elle a mis le pied dans la maison, je savais qui c'était : la cousine de Mom, Rachel. Mais elle veut qu'on l'appelle Rachou.

Elle avait apporté des croissants chauds au beurre (miam !) et des chocolatines (eurk !).

C'est la fille de Jacqueline, la sœur de Grand-Papi, cette personne âgée diabolique qui a simulé sa mort et a failli provoquer la mienne à la suite d'un choc émotionnel.

Personne n'a invité Rachel ; elle nous a dit qu'elle « passait dans le coin » et qu'elle a décidé de s'arrêter pour nous saluer.

Mom m'a parlé d'elle à quelques reprises. Elles fréquentaient la même école secondaire. Les trois premières années, elles étaient inséparables. Puis, Rachel a fait des choix de vie qui l'ont éloignée de ma mère. Comme consommer de la drogue et de l'alcool, se tenir avec des délinquants et fréquenter de moins en moins l'école.

Grand-Papi m'a dit que Rachel ne l'avait pas eu facile : elle a eu un premier enfant à dix-huit ans et s'est toujours retrouvée avec des hommes violents psychologiquement et/ou physiquement. 😵

Selon les dires de Mom, Rachel est excentrique et drôle. Elle prend de la place. Quand elle est dans une pièce, personne ne peut l'ignorer parce qu'elle parle fort.

Parlant d'excentricité… Elle a posé un geste étrange à l'exposition de Mom.

Elle est arrivée en état d'ébriété ou sous l'effet d'un quelconque médicament ou drogue. Je le sais parce qu'elle s'est excusée ce matin.

– Hey, pas de problème, j'ai dit en mordant dans un des croissants chauds qu'elle avait apportés.

– Et, euh, pour ce qui s'est passé…

– Ça va aller, a dit Pop en versant du café dans sa tasse. C'est passé, on n'en reparle plus.

Pour une raison qui m'échappe, Rachel a décidé aux funérailles de retoucher le maquillage de Mom parce qu'elle la trouvait « sans vie ». Deuh !

Une fois que Grand-Papi l'a convaincue d'arrêter, elle s'est mise à faire la cour à mon père. En plein salon funéraire.

Eurk.

Elle habite à une vingtaine de kilomètres d'ici. Elle passait dans le coin, mon œil ! 😑

Son jeu m'a semblé clair : elle était à la maison pour se rapprocher de Pop.

Le corps de Mom est six pieds sous terre depuis moins de vingt-quatre heures ; je ne peux pas croire qu'elle tente à nouveau de le charmer !

Tintin et Fred disent que j'hallucine. Qu'elle n'agit pas comme une femme qui flirte, mais qui désire plutôt se faire pardonner.

Mouais. Je vais lui donner le bénéfice du doute. Je dois me dire qu'elle est venue ce matin pour nous demander pardon, point final.

Elle est repartie en nous offrant à nouveau ses sympathies.

Si elle revient, je vais la mordre ! Grrr ! Pas touche à mon papounet.

(…)

Mon frère a commencé le tournage de *La vengeance du nain géant II*. Ils tournent une scène dans la cour présentement.

Ce devait être un film de quatre-vingt-dix minutes, mais en raison de restrictions budgétaires, c'est devenu un très court métrage de moins de cinq minutes.

Je ne sais pas trop où ils sont rendus dans le scénario, mais le personnage principal se fait attaquer par un poulet géant – je n'ai jamais écrit ça !

C'est Tintin qui joue le poulet. Il porte un costume qu'il a trouvé au département de théâtre de l'école. Le prof lui a dit qu'il pouvait le garder.

Ça hurle comme si ça se faisait arracher les ongles d'orteils avec des pinces.

L'acteur principal, c'est celui avec qui il a fait de la lutte il y a quelques mois. Et celui qui a travaillé avec moi au centre commercial pendant Noël.

Même s'il s'était promis de ne plus jamais embarquer dans un des projets de mon frère, il s'est laissé convaincre. Je ne sais pas ce que Fred lui a promis, mais ça a fonctionné.

Ils ont beaucoup de plaisir, et c'est tant mieux.

Kim vient d'arriver, on s'en va magasiner !

Je vais *tellement*
être la reine
de la soirée

Namxox

> **Magasiner, c'est trop dur.**

Cet après-midi, avec Kim et Léana, la blonde de Fred, je suis partie à la recherche d'une robe de bal.

Je devais y aller avec Mom, mais son état s'est dégradé trop rapidement.

Voici les caractéristiques que je recherchais:

- Simple;
- Pas chère;
- Légère;
- Pas chère;
- Bleue – j'aime cette couleur, elle fait ressortir le grain de ma peau (hein?!);
- Pas chère;
- Confortable;
- Pas chère.

Est-ce que j'ai mentionné que je ne voulais pas payer un prix de fou? 😊

Léana me racontait que certaines de ses amies avaient déboursé plus de six cents dollars pour leur robe.

Six cents dollars! C'est malade.

En entrant dans les boutiques spécialisées, je me suis rendu compte que finalement, six cents dollars, c'est le prix moyen. On en a vu qui coutaient deux mille dollars.

Tant d'argent pour une robe de bal qu'on porte une seule soirée. C'est indécent.

À ce prix-là, on peut fournir de l'eau à un village africain pour une année !

Nous, les élèves, on ne vient pas de trouver un vaccin contre le cancer, le sida ou l'Ebola ; on vient, pour la plupart, de passer à travers *la période la plus facile de notre vie* !

Cette réflexion ne vient pas de moi, mais d'une image que j'ai vue sur Internet quand je cherchais des modèles de robes. Et d'une discussion que j'ai eue avec Mom par la suite.

Je sais que certaines personnes ont de la difficulté à l'adolescence parce qu'elles souffrent de divers maux ou problèmes familiaux. Je sais que certaines personnes vivent du harcèlement, par exemple, et que c'est l'enfer pour elles.

Ces personnes mériteraient bien plus qu'un bal. Il faudrait leur donner une médaille, un trophée et une auto neuve.

La majorité des adolescents, dans leur existence, n'auront plus jamais de conditions de vie aussi idéales pour s'épanouir. On n'a pas à se soucier de l'argent, on a un toit sur notre tête et de la nourriture dans le frigo, les profs nous donnent plein de chances, on passe du temps avec nos amis, on peut réussir dans toutes les matières en donnant le strict minimum, on ne va pas à l'école quand il y a trop de neige ou qu'il fait vraiment trop froid, on peut être malades sans qu'il y ait de conséquences graves, on a deux mois de vacances, on participe à plein de projets *cool* et j'en passe.

En fait, à la fin du secondaire, c'est plus une veillée funèbre qui devrait être célébrée. Et ce sont des corbillards qu'on devrait louer, pas des limousines ! 😳 Fin de mon commentaire éditorial déprimant.

Léana m'a fait remarquer que la robe, ce n'est pas tout : il faut les chaussures, passer chez la coiffeuse, se faire maquiller, penser au photographe, au transport, au souper, etc.

J'ai dit à Wolfie que je n'avais vraiment pas l'intention de faire une compétition de beauté avec les filles de son niveau. Je vais être bien habillée, je vais m'être lavé les cheveux au cours du dernier mois, je vais sourire pour les photos, mais faudra pas trop m'en demander. Et pas question de manger avec des ustensiles. Oh que non !

Alors que nous regardions les étiquettes des robes et que nous rigolions des prix, une dame d'une trentaine d'années s'est avancée :

– Je peux vous aider ?

– Oui, j'ai dit. Je cherche une robe de bal.

– Vous êtes au bon endroit.

– Je pense pas. Disons que ça dépasse un peu mon budget.

– Votre budget, c'est quoi ?

– Cinquante dollars. Taxes incluses. Vous avez quelque chose à ce prix-là dans le magasin ?

Sa bouche a adopté une moue de mépris. Puis, elle a fait oui de la tête et m'a demandé de patienter quelques instants. Elle est revenue avec une petite boîte en velours mauve.

– C'est quoi?

Elle l'a ouverte. C'était une broche qu'on épingle sur un vêtement. Elle avait la forme d'un œil stylisé avec trois pendentifs (des larmes?). Horrible.

– Pour cinquante dollars taxes incluses, c'est la seule chose que j'ai. C'est dans l'arrière-boutique depuis 1987.

– Super! j'ai fait. Je la prends. Je n'aurai pas de robe, je vais me rendre au bal en sous-vêtements, mais c'est moi qui vais avoir la plus belle broche de la soirée.

Léana, Kim et Tintin ont ricané. La dame, déconcertée, m'a demandé:

– Vous la prenez vraiment?

– Hum, laissez-moi y penser encore quelques instants… Non. Merci pour votre aide.

Nous sommes sorties du magasin en nous bidonnant.

– C'est le bijou le plus laid que j'ai jamais vu, a fait Léana. Et j'ai déjà travaillé tout un été dans un marché aux puces.

Je n'ai pas déniché la robe parfaite cet après-midi. Pas grave, il me reste encore quelques semaines pour la trouver.

Au pire, je vais porter la robe que j'avais aux funérailles de Mom.

J'y pense… C'est ce que je vais faire! Mom voulait m'en acheter une expressément pour le bal, mais il n'y a pas de raison.

Et Wolfie m'a dit à plusieurs reprises que ma robe noire m'allait comme un gant. Je ne crois pas qu'il s'objecte à ce que je la reporte.

Un problème réglé !

Mais cette broche en forme d'œil me travaille toujours… Elle m'irait tellement bien. Toutes les filles au bal seraient *tellement* jalouses de moi !

C'est décidé : je vais la porter si on me paie pour le faire.

Wolfie vient d'arriver, on s'en va au resto !

Trop de gâteau au fromage
=
hallucinations désagréables

Namxox

> Devinez qui est amoureux ?

Je viens de déguster un des meilleurs soupers de ma vie. C'était délicieux.

J'ai mangé une pièce de viande (pas du koala, franchement) exquise. Elle fondait dans ma bouche.

Et le dessert… Ou, là, là ! Un morceau de gâteau au fromage hallucinant. Au propre comme au figuré : c'était si bon que j'ai commencé à voir des fées *twerker* furieusement sur la table.

(Pour les archéologues du XXIIe siècle qui trouveront ce blogue, *twerker*, dérivé du mot *twerking*, est l'action de se secouer les hanches et les fesses vigoureusement pour les filles en manque d'attention. Il s'agit d'une danse originaire du Congo et de la Côte d'Ivoire. Aussi surprenant que cela puisse paraître, cette danse a été à la mode chez certaines chanteuses au cours de mon siècle. Pas un moment dont je suis fière. Et oui, j'ai déjà essayé de *twerker*, et le résultat a été catastrophique : j'ai perdu le contrôle de mes hanches et je me suis frappé la tête sur le bord d'un mur en plus de m'infliger une entorse à une fesse en chutant.)

J'ai l'estomac plein. Je ne vais pas manger du reste de la semaine.

Comme à son habitude, Wolfie a été charmant et drôle.

Je me sens de mieux en mieux avec lui. Ce n'est pas comme à nos débuts, il y a cinquante ans, sur le parquet de l'église, mais ça s'améliore.

Je fais bien d'attendre.

Aussi, comme je m'y attendais, il ne voit pas d'inconvénient à ce que je porte la robe «propre» que j'ai déjà pour le bal. («Propre», c'est l'expression que Grand-Papi utilise au lieu de dire «chic».)

(…)

En revenant du resto, j'ai discuté un peu avec Tintin, qui regardait la télévision dans le salon. Il m'a appris qu'il était amoureux!

– Quelqu'un que l'on connaît?

Il a fait non de la tête.

– Quelqu'un que j'ai rencontré en ligne.

– Cool. C'est quoi son nom?

– Martin, comme moi.

– Cool. Donc, euh, t'es… hétérosexuel? Vu que t'es véritablement une fille?

– Non. Je suis bi, je pense. En fait, j'aime l'être humain. Qu'il soit garçon ou fille.

– Génial. Ça te donne le choix.

– Le choix… Je n'en ai pas beaucoup, disons.

– Pourquoi?

– Parce que, comme tu l'as dit, je suis une femme dans un corps d'homme. Il faut une grande ouverture d'esprit pour l'accepter. Ce que peu de gens ont. Ils sont brutaux avec moi.

– Vraiment?

Tintin a changé de chaîne.

– Ouais. Je me suis fait rejeter brutalement assez souvent.

– Pauvre toi.

– Bah. C'est la vie.

– Non, ce n'est pas la vie. Les gens pourraient être polis, quand même. T'es un être humain.

– Bah, c'est Internet. S'ils se retrouvaient devant moi, ils seraient beaucoup moins courageux.

Tintin a activé son téléphone cellulaire et a appuyé à quelques reprises sur son écran tactile. Il me l'a tendu.

Il a archivé certaines discussions qu'il a eues. Mes cheveux se dont dressés sur ma tête. Horribles, les insultes qu'il a essuyées. Il s'est fait traiter, entre autres, de « monstre », de « pervers » et de « weirdo ». Il y a aussi d'autres insultes que je refuse de retranscrire ici.

Je lui ai redonné son téléphone.

– Pourquoi tu gardes ça ? Efface-les.

– Je sais pas trop.

– T'as porté plainte ?

– Ouais, je les ai signalés. Mais ils sont toujours en ligne.

– Tu leur dis quoi pour qu'ils soient si odieux ?

– Rien ! Sur ma fiche, j'ai écrit que je suis trans et que je vais bientôt changer de sexe. Ces gens m'envoient des messages sans que je les aie interpelés. C'est totalement gratuit.

– C'est quoi, leur problème ? Pourquoi ils ne te laissent pas vivre ta vie en paix ?

– Aucune idée. Mais bon, j'ai retiré ma fiche. Je pense avoir rencontré un gars *cool*. On devrait se rencontrer cette semaine.

– Génial. Je suis heureuse pour toi. Tu le mérites tellement.

C'est vrai qu'il me mérite ! Tout le monde a le droit d'aimer et d'être aimé.

Si ma vie amoureuse est compliquée, celle de Tintin l'est cent fois plus.

Je me demande comment les gens comme lui faisaient avant Internet. Comment ils réussissaient à se retrouver. J'imagine qu'il y a avait des endroits spécifiques de réunion. Comme des bars.

Je n'en reviens pas de toute la haine qu'éprouvent certaines personnes à l'endroit des gens différents. Aujourd'hui, dans mon pays, au XXIᵉ siècle !

Ça me dégoûte. 🙁

On fait quoi avec ces gens-là ? C'est la peur de l'inconnu qui leur fait dire des horreurs.

Comment peuvent-ils se sentir menacés par un type comme Tintin qui ne leur a rien demandé ?!

Il faut les éduquer. C'est l'ignorance qui les rend aussi intolérants.

(…)

C'est l'heure du dodo. Demain, je reprends officiellement la routine habituelle.

J'ai manqué plusieurs jours d'école ; je vais avoir pas mal de rattrapage à faire.

Je dois être en forme !

surprise !

Namxox

> OMG, OMG, OMG!

En revenant de l'école, il y avait une boîte sur la table à mon nom. En l'ouvrant, j'ai découvert... mon premier roman, *Les têtes réduites*!!!

Youppi!

Mon éditrice m'a dit la semaine dernière que j'allais recevoir vingt-cinq exemplaires «très bientôt», mais je ne savais pas que ça allait être si tôt.

Je capote... Je tiens mon propre roman entre mes mains. Un roman que j'ai écrit moi-même avec mon nom dessus.

C'est malade mental!

Dire que Mom a failli voir mon roman. J'avais demandé à mon éditrice si on pouvait accélérer le processus, elle a fait ce qu'elle a pu, mais ça n'a pas été suffisant. 😞

Elle m'a expliqué que les presses étaient réservées à l'avance et que *Les têtes réduites* allaient pouvoir être imprimées plus rapidement seulement si une des commandes était annulée.

Pas grave. Je vais aller donner un exemplaire à Mom quand même.

J'ai refilé une copie à Pop, à Kim, à Tintin, à Grand-Papi et à Fred. Demain, je vais en offrir une à monsieur Patrick, c'est sûr. Et Wolfie! Je ne dois pas l'oublier!

Wow. C'est une sensation formidable! C'est surréel.

Ça signifie que dans quelques jours, toutes les librairies vont avoir en leur possession mon roman et que les gens vont pouvoir l'acheter.

J'ai une tonne de devoirs, mais je suis beaucoup trop excitée pour les faire.

Je vais envoyer un courriel à mon éditrice pour la remercier.

(…)

Je viens de parler avec Annie. Je n'ai pas pu m'empêcher de l'appeler sur son téléphone cellulaire.

Voici comment ça se passe: chaque mois, les librairies reçoivent un office des compagnies de distribution. L'office, ça comprend toutes les nouveautés.

Mon roman sera sur les tablettes dans une semaine. 😊

Dans deux semaines, il y a un salon du livre. Annie m'a demandé d'y participer. Elle dit qu'elle m'a peut-être même obtenu une entrevue.

Oh, là, là! J'espère que je ne vais pas dire de niaiseries si on m'interroge.

Une attachée de presse de la maison d'édition a commencé aussi à contacter des médias pour qu'ils parlent de moi. Deux journalistes ont aussi en main mon roman pour en faire la critique.

Pour la campagne de promotion, Annie m'a aussi demandé si j'étais disponible pour des séances de signature dans les librairies.

Je suis nerveuse.

Je me demande comment les gens vont réagir en lisant mon roman. Peut-être qu'unanimement, ils vont le trouver mauvais. Peut-être qu'on va me décerner le prix du pire roman de l'année. De la décennie.

Arghhh! Pourquoi je suis si négative?!

Je ne peux plus rien faire. Le roman est imprimé. Il est ce qu'il est. Je dois le laisser vivre. Comme un oisillon que j'aurais couvé et qui doit maintenant voler de ses propres ailes.

En espérant qu'il ne se fasse pas attraper par un prédateur comme un chat.

Entre temps, mon éditrice veut lire mon blogue. Je vais lui en envoyer une partie, mais avant, je dois le réviser pour m'assurer que c'est intéressant. Et censurer quelques passages gênants.

(…)

Je viens de parler à Wolfie! Il est super content pour moi.

Je lui ai parlé d'un plan que j'ai eu. Même s'il me trouve folle, il accepte de m'aider.

Plan que je vais mettre à exécution pas plus tard que ce soir, après le souper.

Bye!

Une soirée banale

Namxox

> Dix problèmes.

Aïe, aïe, aïe. Je viens de vivre un des moments les plus embarrassants de ma vie. Je ne pensais vraiment pas que mon plan (génial au départ, mais finalement pas tant que ça) allait virer au vinaigre.

Ça m'apprendra à ne jamais agir sur un coup de tête. Je dois prendre le temps de RÉFLÉCHIR.

Voici ce que j'avais l'intention de faire : me rendre au cimetière où Mom repose en paix et enterrer un de mes livres près elle.

Dans le sens de «dans son lot, sous quelques centimètres de terre» et non de «je vais creuser six pieds sous terre, ouvrir le cercueil de Mom et y déposer mon roman».

Même si c'était purement symbolique, c'était important pour moi. Mom était tellement fière de ce que j'ai accompli. J'aurais tant voulu qu'elle tienne mon roman dans ses mains.

Je me suis donc rendue avec Wolfie au cimetière où Mom repose depuis quelques jours.

Ce devait être simple : on trouverait le tombeau de Mom, on creuserait un petit trou dans le sol, je déposerais le roman, on le recouvrirait et le tour serait joué.

Wolfie est venu me chercher avec l'auto de son père. On a roulé une dizaine de kilomètres jusqu'à destination.

Nous sommes arrivés sur les lieux alors que le soleil se couchait. À l'horizon, les nuages avaient pris une teinte où se mêlaient le mauve et le rose. C'était beau et en même temps un peu épeurant. ☹.

Mais on a rencontré une suite d'obstacles qui, si on avait été un peu plus prudents, auraient dû nous inciter à décamper en hurlant.

Problème # 1: j'ai réalisé que j'avais oublié d'apporter une pelle.

– On ne peut pas creuser avec nos mains, j'ai dit.

– Pourquoi pas?

– C'est salissant. Et à cette heure, c'est plein d'insectes qui remontent à la surface pour manger ou se faire manger. Ou de zombies.

– Attends, j'ai peut-être une idée.

Wolfie a sorti du coffre arrière de l'auto de son père un balai qui sert à retirer la neige.

– C'est pas une pelle, ça, j'ai fait.

– Vraiment? Je croyais que c'en était une.

Un silence de quelques secondes a suivi. Puis, il a rigolé:

– Je sais que c'est pas une pelle, grosse nouille. Regarde l'extrémité.

Il a exhibé le grattoir.

– On peut creuser avec ça. C'est mieux que rien.

– Je trouve ça ironique que tu me traites de grosse nouille et que tu me suggères de creuser avec un balai à neige. T'as apporté une lampe de poche, comme je te l'avais demandé?

Problème # 2 : Nous n'avions pas de source d'éclairage.

– C'est toi qui devais l'apporter, m'a dit Wolfie.

– Non, je t'ai dit que la pile dans celle que j'ai est morte.

– Non, tu m'as dit que la lampe était forte.

– Hein? Pourquoi je t'aurais dit ça?

– Je sais pas. Pour te vanter, comme d'habitude. Genre que ta lampe de poche est la meilleure.

– Me vanter?! Je ne me vante jamais!

– D'accord, d'accord. On va dire que j'ai mal compris. On va utiliser la lampe de mon téléphone intelligent.

Problème # 3 : le cimetière était fermé. Je croyais que, tout comme certaines chaines de restauration rapide, il était ouvert vingt-quatre heures sur vingt-quatre. Comble de la malchance, il n'y avait pas de service à l'auto. (Hein?!)

– Dommage, il va falloir revenir un autre jour, j'ai dit.

Wolfie a observé la clôture en fer forgé. Les extrémités des tiges étaient pointues et tranchantes.

– Non, a dit mon *chum*. Je ne pourrai peut-être pas emprunter l'auto de mon père avant longtemps. Il faut le faire maintenant.

– Comment?

– On va entrer. Il y a sûrement un moyen.

Nous avons fait le tour du terrain. Il n'y avait aucune ouverture. 🙁

– Bon, il a dit. On va grimper.

– C'est dangereux, j'ai fait en pointant le haut de la clôture.

– Pas nécessairement. Si on est prudents, on devrait éviter de s'empaler.

Il s'est mis à grimper, puis a demandé :

– Je me demande vraiment pourquoi ils ont mis ces trucs au bout.

– Facile, j'ai répondu. C'est pour empêcher les morts de sortir du cimetière la nuit venue.

Wolfie s'est arrêté et m'a regardée, interdit. Je me suis esclaffée.

– Je blague. C'est pour empêcher les *freaks* comme nous d'entrer quand il ne faut pas.

– Je préfère cette réponse.

Wolfie est facilement parvenu à monter sur la clôture. Son équilibre était cependant précaire.

– Fais attention de ne pas te blesser.

– Voyons Nam, tu me connais mal, je suis agile comme…

Il y a eu un déchirement, et Wolfie s'est retrouvé par terre, torse nu. Lorsqu'il est tombé, une des pointes s'est accrochée à son t-shirt.

– Ça va ?! j'ai demandé.

Il s'est relevé et a essuyé ses genoux avec ses mains. Il avait un peu honte. ☹ Mon frère a la même attitude quand il commet une bêtise alors que je l'avais prévenu que ça allait mal tourner.

– Oui, oui.

– Ouf ! T'aurais pu te faire très mal.

Wolfie a sauté pour récupérer son t-shirt. Du moins, ce qu'il en restait. Il a tenté de le remettre, mais il était taillladé du col au bas. Impossible de le porter.

Wolfie l'a lancé.

– Tant pis, il a dit. Tu viens ?

– Je ne suis pas trop sûre d'avoir le goût de me retrouver à moitié nue dans un cimetière.

– C'est très agréable, je t'assure.

– Oui, je vois ça.

– Allez, Nam. T'as qu'à pas faire la même erreur que moi.

– C'est-à-dire ? Grimper sur la clôture ?

– Non. Aller trop vite.

Problème # 4 : Je suis agile comme une betterave. :|

Lorsque Wolfie a grimpé sur la clôture, ç'a semblé facile.

Ça ne l'était pas. Pas pour moi, en tout cas.

Quand ç'a été à mon tour, c'est comme si on avait enduit la clôture d'huile végétale.

Me voyant tenter de m'agripper aux barreaux en sautant, Wolfie m'a dit :

– Arrête de niaiser, Nam. Ce n'est pas drôle. On n'a pas toute la nuit.

– Je ne veux pas te faire rire, je n'arrive pas à grimper !

– Voyons, tu ne peux pas être aussi poche.

– Oui, je peux !

Finalement, avec son aide, ses encouragements et de la chance, j'ai réussi à passer par-dessus la clôture. Et ce, sans être estropiée.

Problème # 5 : J'ai commencé à avoir peur.

Parce que la nuit était sans lune et nuageuse, on n'y voyait que dalle.

Le téléphone intelligent de Fred a beau avoir une fonction lampe de poche, il n'éclairait pas plus que les foufounes d'une luciole.

Il fallait s'approcher très près des tombes pour voir les noms.

Assez près pour qu'une main sorte du sol et m'attrape la cheville.

Même si je me disais que les morts n'étaient pas dangereux et qu'ils sortaient rarement de leur cercueil, bras tendus devant eux pour effrayer les vivants, mon cerveau a commencé à se faire des scénarios ridicules où j'étais attaquée par un fantôme, un sorcier pratiquant un rite satanique, ou, pire, une moufette de mauvaise humeur.

Mais bon, je me suis dit que personne n'oserait nous attaquer, puisque Wolfie était armé d'un terrifiant balai à neige.

Problème # 6 : Je ne trouvais pas la tombe de Mom.

Je n'arrivais pas à me situer.

Le cimetière est grand. Je me souviens que Pop a dit que c'était l'équivalent de quatre terrains de football.

Il y a quatre entrées différentes, une à chaque point cardinal. Nous sommes entrés par le nord, alors que nous sommes passés par l'ouest pour enterrer ma mère.

Ce qui fait qu'on s'est perdus.

Je me suis arrêtée, et j'ai regardé tout autour de moi – ce qui était absolument inutile.

– Je n'ai aucune idée de l'endroit où on est.

Wolfie, les bras croisés sur sa poitrine dénudée, m'a répondu :

– Dans un cimetière, Nam.

– Oh, merci pour l'info. Écoute, il me semble avoir des souvenirs de cette statue qu'on vient de passer. Je pense que si on continue à marcher par là...

– On est passés deux fois dans cette rangée, a argumenté Wolfie.

– Non. On n'y est jamais allés.

– Mais oui, on y est allés.

Finalement, j'avais raison : nous n'avions toujours pas arpenté cette partie du cimetière, où on a finalement trouvé le tombeau de Mom.

Problème # 7 : une pelle, ce n'est pas un balai à neige et vice-versa. 😔

La cavité avait été remplie d'un mélange de terre et de pierres. Wolfie a planté le balai à neige, et dès qu'il a essayé de le retirer, il s'est exclamé :

– Oh, non !

Il a relevé sa pelle improvisée.

Je l'ai pointée avec la lampe de son téléphone intelligent. Il n'y avait plus de grattoir.

Wolfie s'est agenouillé et, avec sa main, il a essayé de creuser. La terre humide était trop tassée.

– Arrête, j'ai dit. Tu vas te blesser. Je vais revenir un autre jour.

Wolfie s'est relevé et a frappé dans ses mains.

– Pas question. J'ai une idée.

Il m'a arraché le téléphone des mains, et il s'est éloigné.

– Attends-moi ici.

– Hein ? ! Quoi ? ! Non ! Je viens avec toi.

Il marchait d'un pas pressé.

– T'es fâché contre moi ?

– Non. Je suis fâché contre la situation.

– Écoute, je t'assure que ce n'est pas grave, OK ? C'était une idée ridicule. C'est de ma faute.

Wolfie s'est soudainement arrêté. Ce que j'ai fait aussi.

Il a pointé un objet devant lui.

J'ai regardé.

Je n'en croyais pas mes yeux : c'était un renard roux. Haïme !

– C'est mon renard, j'ai dit. C'est incroyable.

– Ton renard ?

– Oui. L'été dernier, mon grand-père et moi, on en a secouru un. Il a fallu le relâcher très loin, dans une ferme, mais il est revenu.

– Bizarre, il n'y a pas de renard dans la région.

– Il y a le mien !

Je me suis penchée, et j'ai tendu la main.

Le renard – c'était Haïme, j'en suis persuadée –
a tourné la tête comme s'il allait déguerpir. Puis, il s'est
arrêté pour me regarder.

– Viens, Haïme. Je ne te ferai pas mal.

Wolfie m'a dit :

– C'est sauvage, un renard. Jamais il ne va…

Haïme s'est alors approché de moi jusqu'à ce
qu'il sente mes doigts. Lentement, j'ai posé ma main sur
sa tête pour le caresser.

– C'est incroyable, a dit mon *chum*.

Alors qu'il s'est accroupi pour toucher le renard,
l'animal a filé à toutes jambes dans l'obscurité.

– Je n'en reviens pas. C'est mon renard.

– Même si rien ne fonctionne ce soir, ç'a valu la
peine de venir ici juste pour voir un renard d'aussi près.

Problème # 8 : L'idée de Wolfie. 😀

Une cinquantaine de mètres plus tard, Wolfie
s'est arrêté devant une petite pelle, hydraulique sur
chenille.

– Non, j'ai dit.

– Oui, il a fait. J'en ai déjà conduit une. C'est
super facile. Deux coups de pelle et on va pouvoir
enterrer ton livre.

– Je ne sais pas…

– Fais-moi confiance. Faut juste que la clé soit là.

Wolfie s'est assis sur le banc, dans la cabine.
Devant lui, il y avait six leviers.

– Tu sais quoi faire avec chacun d'eux ?

– Bien sûr. Approche la lumière.

Il s'est penché et a immédiatement trouvé la clé. Facile, elle était dans le démarreur.

– Allez, dans cinq minutes, on est partis.

Wolfie a démarré le moteur. C'était beaucoup moins bruyant que ce à quoi je m'attendais.

J'ai toutefois émis à nouveau un doute :

– Je ne suis pas sûre qu'on a le droit de l'utiliser. Si quelqu'un nous voit, on aura vraiment l'air de vouloir déterrer un corps.

– On n'aura qu'à dire que c'est pour une expérience à l'école. Recule, je ne veux pas te blesser.

Wolfie a touché à quelques leviers, puis a trouvé celui qui permettait à l'engin d'avancer.

Quelques mètres plus tard, j'ignore ce que Wolfie a fait, mais la pelle hydraulique s'est arrêtée et s'est mise à tourner sur elle-même.

– Ça va ? j'ai demandé.

– Oui, oui, a répondu Wolfie alors qu'il tentait de reprendre le contrôle de la situation.

Sauf que chaque fois qu'il posait un geste, la situation empirait. La pelle s'est mise à reculer alors qu'elle tournait toujours sur elle-même, et ce, de plus en plus vite. 😐

– Ça va, a dit Wolfie, j'ai toujours le contrôle.

Le contrôle de quoi, je me le suis demandé.

– Tu dois l'arrêter, j'ai crié.

Je voulais aller l'aider, mais je craignais d'être assommée par la pelle, qui s'était mise à lever et à descendre.

Heureusement, il n'y avait aucune tombe aux alentours. Sinon, Wolfie en aurait fauché plusieurs.

Alors que je croyais que l'engin ne pouvait se détraquer encore plus, il s'est mis à avancer et à reculer, et je ne sais pas pourquoi, mais un klaxon s'est fait entendre.

Wolfie, voyant qu'il n'avait plus le choix, s'est jeté sur le sol.

La pelle hydraulique s'est arrêtée subitement.

– Ça va?!

Mon amoureux s'est relevé lentement.

– Oui, oui. Cet engin est possédé par le démon.

– Il est effectivement farouche. Je pense qu'il n'est pas encore apprivoisé.

– Moi aussi. On va le laisser dans la nature.

Finalement, nous sommes retournés au tombeau de Mom et, de peine et de misère, nous avons réussi à creuser un trou suffisamment profond et large pour y glisser mon roman.

Le pauvre Wolfie avait les mains en sang.

Problème # 9 : Comme dans tout film d'horreur qui se respecte, alors que nous étions plongés dans le noir, la pile du téléphone de Wolfie nous a laissés tomber.

Comme si ça allait aider, j'ai frappé doucement le bidule électronique sur la paume de ma main.

– Oh, non.

– Ça va, a dit Wolfie, j'ai terminé. Je sais comment me rendre à la sortie.

– Tant mieux, parce que je suis un peu perdue.

Pour une fois, Wolfie avait raison : même dans les ténèbres, il m'a menée à bon port.

Problème # 10 : Une auto-patrouille nous attendait au véhicule du père de Wolfie.

En nous approchant de la grille, on a vu qu'une auto de police était stationnée derrière la voiture du père de Wolfie.

– Il ne manquait plus que ça, il a dit.

J'ai commencé un petit peu à paniquer quand j'ai vu que Wolfie s'énervait.

– Est-ce qu'on a le droit d'être ici ? j'ai demandé.

– Pense pas. Vu que les grilles sont verrouillées. Et vu qu'il y a une affiche qui spécifie les heures d'ouverture.

– Tu penses qu'on peut aller en prison ?

– Nam, franchement. Relaxe un peu, d'accord ?

Wolfie m'a fait la courte échelle, et je suis passée en premier.

– Fais attention, j'ai dit lorsque que ç'a été son tour.

– Oui, je vais faire attention…

Un autre déchirement, suivi d'une chute brutale. Je me suis précipitée sur Wolfie.

– Ça va ?

Il a posé sa main sur son épaule.

– Je me suis fait un peu mal. Mais ça va aller.

– Qu'est-ce qui s'est passé ?

– Le bas de mon pantalon s'est coincé.

C'est alors que deux faisceaux lumineux nous ont éclairés.

- Je peux savoir ce que vous faites?

C'était une policière, accompagnée de son camarade de travail.

- C'est mon amoureux, j'ai dit en déglutissant. Il est tombé et il s'est fait mal.

La policière l'a éclairé, et je me suis rendu compte que le pantalon de Wolfie était déchiré à la fourche. Son boxer était bien visible.

- Je vais appeler une ambulance, a dit le policier.

- Non, non, a fait Wolfie. Ça va aller.

La policière:

- Je peux savoir pourquoi t'es à moitié nu?

- Oh, une longue histoire.

- J'aimerais bien la connaître, cette histoire, a fait le policier.

J'ai alors décidé de jouer franc-jeu.

J'ai raconté que ma mère était décédée, que j'avais écrit un roman et que je voulais le lui «donner». Qu'on savait que le cimetière était fermé, mais qu'on avait tout de même décidé d'y aller. Et que rien ne s'était passé comme prévu. Par exemple, Wolfie avait failli être déshabillé complètement par la clôture.

- On a aussi vu un renard, a dit mon *chum*.

La policière s'est tournée vers son camarade.

- Je t'avais dit qu'il y en avait un dans le coin. Tu me crois, maintenant?

Les policiers ont pris nos coordonnées et nous ont permis de nous en aller.

Je ne sais pas s'ils vont appeler Pop. J'espère que non.

Ce sera encore pire s'ils contactent le père de Wolfie. Il va encore dire que j'entraîne son très cher fils dans des activités illicites ! 😟

(...)

Il est suuuper tard, mais je me dois de mentionner que je viens d'écrire le billet le plus long de l'histoire de mon blogue : plus de deux mille neuf cents mots !

Faut dire que l'évènement que je viens de vivre m'a injecté une dose d'adrénaline dans les veines. Il n'était pas question que je me couche en arrivant.

Parfois, comme maintenant, c'est si facile d'écrire. D'autres fois, je bute sur chaque mot.

Ce soir, tout coulait de source. Mes doigts allaient même parfois plus vite que mon cerveau !

La prochaine fois que j'aurai le syndrome de la page blanche, je saurai quoi faire : entrer illégalement dans un cimetière en pleine nuit pour assister aux gesticulations ridicules d'une pelle hydraulique.

Bonne nuit !

> **Y'a de la fumée qui me sort par les oreilles.**

Je me suis couchée vraiment trop tard hier. J'ai passé la journée à m'endormir.

Quand je n'ai pas au moins neuf heures de sommeil, je ne suis que l'ombre de moi-même.

J'ai dormi dans le local des Réglisses rouges pendant l'heure du dîner. Je me suis couchée sur le douillet plancher de terrazzo avec mon sac d'école pour oreiller, et je me suis endormie en moins de dix secondes.

J'étais tellement heureuse de retrouver mon lit quand je suis revenue de l'école. Je n'ai même pas pris le temps d'enlever mon manteau ni mes chaussures avant de m'échouer sur mon matelas.

Pop m'a réveillée deux heures plus tard pour souper.

(…)

Parlant de Pop, ce soir, nous avons discuté ouvertement de sa consommation d'alcool.

J'en ai parlé avec la travailleuse sociale de l'école, hier. Elle est venue nous donner des dépliants sur divers sujets à distribuer aux élèves, et j'en ai profité pour lui parler de mon père.

Elle ne m'a rien appris. Je sais que l'alcoolisme est une maladie, que les chances de s'en sortir sans faire une cure de désintoxication sont minimes et que pour qu'elle réussisse, il faut que l'alcoolique soit motivé.

Bien que toute l'attention ait été portée sur Mom dans les derniers mois, l'état de Pop m'a tout de même inquiétée.

Il y a eu les mensonges – il disait qu'il n'avait pas bu, mais il titubait et sentait l'alcool a plein nez, même s'il mâchait de la gomme –, il y a eu les sautes d'humeur, le déni et d'autres mensonges – il affirmait qu'il avait arrêté pour de bon, mais chaque fois, ça n'a pas duré plus de trois jours.

Il y a plusieurs problèmes. Le premier est que son corps est devenu dépendant à l'alcool. Arrêter sans supervision provoque plusieurs effets secondaires indésirables. Comme la mort, dans certains cas. 😵

Aussi, les tentations sont *partout*. En une journée, j'ai noté le nombre de publicités que j'ai vues et qui vendaient de l'alcool. La réponse, c'est : trop ! Elles passent inaperçues pour monsieur et madame Tout-le-monde, mais pas pour les personnes aux prises avec un problème d'alcool. Elles leur rappellent chaque fois qu'ils ont une dépendance et à quel point il est facile de s'en procurer. Ça occupe leur esprit jusqu'à en devenir une obsession. Une pulsion impossible à contenir.

On sait tous que Pop va devoir faire une cure de désintoxication. Mais quand ? Je lui ai posé directement la question, sa consommation d'alcool n'étant plus un tabou :

– Pas besoin, il a dit. Je n'ai pas bu depuis vingt-quatre heures.

– Pop, j'ai dit, ça ne fonctionne pas. Tu vas rechuter.

Il m'a fait un clin d'œil :

– Tu ne me fais pas confiance ?

– Ce n'est pas une question de confiance. Tu es malade. Il y a une solution, mais t'as besoin d'aide professionnelle.

Pop s'est tu. Il est orgueilleux, mon papounet. En piquant les légumes dans son assiette, il a répondu :

– Rachel m'a parlé d'une méthode...

J'ai échappé mon couteau dans mon assiette.

– Qui ?

– Rachel. Tu sais, la...

– Cousine de Mom, je sais. Qu'est-ce qu'elle vient faire dans cette histoire ?

– Rien. Elle m'a juste parlé d'une manière de régler mon problème.

J'ai senti tous les muscles de mon corps se raidir.

– Quand lui as-tu parlé ?

– Aujourd'hui.

Fred, me voyant crispée, est intervenu :

– Relaxe, Nam.

Une fois sa bouchée terminée, Pop a demandé :

– Qu'est-ce qui se passe ?

– Nam ne veut pas que tu fréquentes Rachel, a répliqué Fred.

D'un air amusé, Pop m'a regardée.

– Pourquoi ?

– Papa, ça ne fait même pas dix jours que Mom est morte. Et c'est une *junkie*.

Secoué par mes propos, il a dit :

- Namasté, franchement. Tu ne la connais même pas.

- Mom m'en a parlé. Et t'as vu l'état dans lequel elle était lorsqu'elle est venue voir Mom ? Elle a essayé de la maquiller !

- Elle était perturbée. C'est normal. Et elle s'est excusée. Donne-lui une chance.

J'aurais dû me taire, mais je n'ai pas pu.

- Non, ce n'est pas normal. Vous autres, les accros, vous trouvez toujours des justifications à vos comportements inacceptables. Quand allez-vous prendre vos responsabilités ? Quand allez-vous assumer le mal que vous faites autour de vous ? Quand ?

Mon intervention a créé un grand froid. ☹

J'ai repoussé mon assiette, et je suis sortie de table. Et j'ai claqué la porte de ma chambre assez fort pour que tout le quartier m'entende.

Je me suis emparée de mon oreiller, et j'ai crié le plus fort que j'ai pu.

Je ne peux pas croire que Pop va fréquenter Rachel ! Pas elle ! Si peu de temps après la mort de Mom ?! C'est irrespectueux !

Et il ne veut toujours pas aller chercher de l'aide pour son alcoolisme. Ça m'enrage ! Un jour, il est d'accord pour faire une thérapie, l'autre jour, il veut essayer une méthode bidon.

Argh ! Ça m'enrage !

Qu'est-ce que je vais faire ? Je ne peux pas l'emmener moi-même dans une cure de désintoxication.

Ça cogne à ma porte.

(…)

Pop voulait me parler, mais je lui ai dit que j'étais trop fâchée.

Je risquerais encore une fois de m'emporter et d'être blessante.

Je ne peux pas me faire à l'idée que mon père puisse fréquenter une autre femme. C'est comme s'il trahissait Mom.

Je comprends soudainement un peu mieux ce que Kim vit avec son père et sa nouvelle blonde.

Ça me fait CA-PO-TER. 👀

En plus, il faut qu'elle ait des problèmes de consommation! Le pire mixte possible.

Est-ce que les amours potentielles de mon père sont de mes affaires?

Non… Oui!

Parce qu'elles vont avoir des répercussions directes sur la famille dont je fais partie.

Surtout si la «blonde en perspective» a des problèmes d'alcool aussi! J'essaie d'aider Pop à garder la tête hors de l'eau. S'il sort avec cette fille, ce sera comme s'il avait une ancre accrochée à la cheville pour l'entraîner vers le bas.

Grrr!

Je vais aller faire des devoirs.

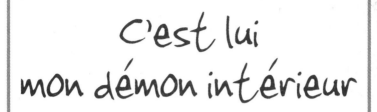

C'est lui
mon démon intérieur

Namxox

> Jour J pour Tintin.

C'est la première fois de sa vie que Tintin va sortir avec quelqu'un qui l'intéresse.

Il est *full* nerveux.

On en a parlé au déjeuner.

– Relaxe, j'ai dit, comme si j'étais la fille avec le plus d'expérience au monde. Tout va bien se passer.

– Et s'il ne m'aime pas ?

– Pourquoi il ne t'aimerait pas ? T'es adorable.

– S'il ne me trouve pas beau ?

– Tu lui as envoyé une photo ? De toi, je veux dire ?

– Oui. Pourquoi tu spécifies de moi ?

– Parce qu'en ligne, j'ai entendu dire qu'il y a des gens qui se font passer pour d'autres. Genre que t'aurais envoyé une photo d'un inconnu trouvée sur Internet.

– Non, non. C'était moi.

– Pas de panique, alors. S'il ne t'avait pas trouvé de son goût, ne t'inquiète pas, il t'aurait *flushé* rapidement.

– Tu penses ?

– Bien sûr. C'est un monde ultra superficiel. Toi, quand tu regardais la photo de quelqu'un, est-ce que tu lui laissais une chance même s'il n'était pas de ton goût ? Pour apprendre à mieux le connaître ? Pour voir s'il était beau de l'intérieur ?

– Non.

– Voilà.

– Et si on n'a rien à se dire ?

– Toi, rien à dire ? Je ne te crois pas ! Vous allez faire quoi ?

– On se rencontre au restaurant La chandelle. Tu connais ?

– Oui. Je croyais qu'il avait été incendié.

– Non. Il ne m'aurait pas invité là si ça avait été le cas. Après, on ira au cinéma.

– *Cute.*

– Ouais. Il est gentil.

– Je suis vraiment contente pour toi. Tu demanderas à Grand-Papi ou à Pop d'aller te reconduire.

– Non, non. Je pars après l'école. J'ai besoin de temps seul pour décompresser.

– Oui, je comprends. Je t'assure, tout va bien aller.

(…)

Pop est venu me reconduire à l'école ce matin. On a discuté de la dispute d'hier soir.

Après avoir décoléré, j'ai trouvé que j'avais été brutale avec lui.

J'allais lui présenter mes excuses, mais il a entamé la conversation :

– Écoute, j'ai compris ce que tu m'as dit hier soir. Et je vais me renseigner sur les cures de désintoxication ce matin.

– Vraiment ?

– Oui. J'ai rendez-vous avec un médecin, un ex-camarade de travail de ta mère.

– Est-ce que tu me dis ça simplement pour me calmer? Pour gagner du temps? Parce que ce n'est pas la première fois que tu me fais cette promesse.

– C'est vrai, Namasté. Je te le jure. Maintenant, en ce qui a trait à Rachel…

J'ai croisé mes bras sur ma poitrine.

– Je ne veux pas parler d'elle.

– C'est une amie, c'est tout.

– Tu ne peux pas dire que c'est une amie, tu la connais depuis une semaine.

– Je la connais depuis beaucoup plus longtemps. C'est ma vie, Namasté, pas la tienne.

– Pop, elle aussi a des problèmes de consommation. Elle va te traîner vers le bas.

– Tout le monde a des démons. Elle aussi veut s'en sortir. Et on va le faire ensemble, que tu le veuilles ou non.

– Le corps de Mom est encore chaud!

Je m'en suis voulu immédiatement d'avoir utilisé cette horrible expression.

– Ce que je veux dire, c'est que tu ne peux pas remplacer Mom si vite. Ça ne se fait pas.

– Ta mère est irremplaçable. Elle va pour toujours avoir une place exclusive dans mon cœur.

On n'a plus parlé du reste du trajet.

(…)

Je viens de parler de ce qui s'est passé avec mon père à Kim, et elle a dit que je suis probablement jalouse de Rachel.

– Je ne suis pas jalouse. Pas d'elle.

– Je sais ce que c'est, Nam. On a peur de perdre notre place. Je vis la même chose avec la blonde de mon père.

– Je ne suis pas jalouse ! C'est une mauvaise influence sur mon père, cette femme.

– D'accord. Ne te fâche pas. C'était une hypothèse, c'est tout.

Bon... Je suis peut-être un peu jalouse. Peut-être. ☺

> ### Qui soupe à la maison?!

En revenant de l'école, qui ai-je eu le plaisir de voir, assise à la table de la cuisine, dégustant un verre d'eau?

Rachel. ⸚

Elle va souper avec nous, il paraît.

J'ai été polie, bien entendu, mais j'ai quand même été surprise de la voir.

J'y ai repensé cet après-midi, et je me suis dit que si sa présence fait du bien à Pop, c'est tant mieux.

Le deuil, c'est difficile pour tout le monde. J'ai la chance de pouvoir m'appuyer sur Wolfie, tandis que Fred a Léana. Pop est seul.

Je n'ai rien vu dans leur comportement qui démontre qu'ils forment un couple.

Kim m'a dit qu'au-delà de la blessure que la séparation a causée à sa mère, ce qui la fait le plus souffrir, c'est la solitude. Je ne veux pas que ça arrive à Pop, évidemment.

J'ai discuté un peu avec Rachel. Je vois qu'elle fait des efforts pour être gentille avec moi.

Je vais lui laisser une chance avant de la mordre. ⸚

(…)

Oh, là, là! À l'heure qu'il est, Tintin est à son rendez-vous.

Je t'envoie plein d'ondes positives! Bzzz, bzzz, bzzzz. 😐

(…)

Parlant de Tintin, il a oublié son téléphone cellulaire à la maison.

Je viens d'essayer de le texter, et j'ai entendu sa sonnerie dans sa chambre.

Comment va-t-il faire pour appeler Pop afin qu'il vienne le chercher après le film?

Et si j'allais le lui porter? Ce serait un bon prétexte pour voir à quoi ressemble le gars avec qui il est...

Moi, curieuse? Jamais de la vie!

Je pense que le restaurant n'est pas loin de la maison. Je vais chercher l'adresse sur Internet.

(…)

Je n'étais pas folle! Le restaurant a été incendié le mois dernier.

Un restaurant qui s'appelle La chandelle et qui a été ravagé par un incendie. C'est ironique. 😀

Ça aurait été plus prudent de lui donner le nom La borne fontaine. Non, il se serait retrouvé avec un dégât d'eau.

Je l'ai: L'extincteur. Super poche comme nom de resto, mais à l'abri des accidents.

J'imagine qu'ils ont réussi à retaper La chandelle rapidement. Je m'imagine mal Tintin et son copain manger dans les décombres.

Je viens d'avoir une idée.

Et si nous allions tous souper là-bas?

Pour faire une surprise à Tintin.

Hé, hé…

Tiens, je vais même écrire sur une affiche : « Go, Tintin, go ! »

Il ne sera pas du tout gêné. Il ne voudra vraiment pas m'étrangler.

Je vais de ce pas suggérer l'idée.

Publié le 22 mai à 1 h 36
Humeur : démolie

> **Tintin le martyr.**

Le restaurant La chandelle n'a pas été rénové. Les fenêtres sont toujours placardées par des planches de bois pressé, des rubans jaunes le ceinturent, et les murs sont recouverts de suie.

Tintin est tombé dans un piège.

Je viens de passer les dernières six heures à l'hôpital.

Il a deux côtes fêlées, le poumon droit perforé, une sévère commotion cérébrale, le nez et deux dents cassés.

Mais il est vivant. Et le médecin dit qu'il ne devrait garder aucune séquelle des coups de pieds et de poings qu'il a essuyés. Séquelles physiques, on s'entend. Psychologiquement, c'est une autre paire de manche.

Tintin a été battu par deux gars. Il a donné une assez bonne description aux policiers qui sont venus le rencontrer. Il a aussi pu donner la marque de l'automobile qu'ils conduisaient et l'un des chiffres de la plaque d'immatriculation.

Tintin a été victime d'un crime haineux parce qu'il est différent des autres. Parce qu'il n'est pas «normal». Parce que c'est une fille dans un corps de gars.

Ici, dans ma ville. Au XXIe siècle.

Je n'arrive pas à croire que ce genre de monstres existe.

C'est à vomir. 😫

Je voudrais pleurer, mais je suis tellement en colère que j'en suis incapable.

(…)

Il a fallu que je convainque Pop, mais mon idée a finalement été acceptée : souper à La chandelle, Rachel incluse.

Sauf que les plans ont vite changé.

– Il est fermé, ce restaurant, m'a dit Pop.

– Non, non. Ils ont rénové et rouvert.

– Quand ?

– Je sais pas. Mais Tintin mange là ce soir, donc il est nécessairement ouvert.

– Je suis passé devant hier. Le restaurant est clairement fermé.

– Peut-être que c'était la réouverture aujourd'hui ?

– Impossible, a dit Pop. On va aller jeter un coup d'œil. Je n'aime pas ça.

Habituellement, je suis celle qui panique facilement. Cette fois, j'étais persuadée que ce n'était qu'un malentendu.

Je me suis trompée d'aplomb.

Lorsqu'on est arrivés, il n'y avait aucun doute possible : le restaurant était fermé, et aucune rénovation n'avait été effectuée depuis le brasier.

C'est au moment où j'ai vu le sac à dos de Tintin, tout près de la porte du resto, que je me suis sérieusement inquiétée.

Pop a arrêté l'auto dans le stationnement et nous a demandé d'attendre.

Ce que je n'ai pas fait. Rachel non plus.

Nous avons retrouvé le pauvre Tintin à l'arrière de l'établissement, derrière une pile de briques.

Son visage et ses mains étaient recouverts de sang séché.

Pop s'est porté à son secours tandis que je composais le 9-1-1.

J'ai expliqué qu'un ami était mal en point et qu'il respirait mal.

Tintin était conscient, mais il nous disait qu'il ne pouvait pas se relever parce qu'il souffrait trop et qu'il avait le souffle court.

J'ai pensé au départ que le mur s'était effondré sur lui. Ou un accident bizarre du genre.

Quand il m'a vue, il a souri et m'a dit : « Finalement, ce n'était pas l'homme de ma vie. »

Il faisait tellement pitié. Rachel et moi, on s'est éloignées pour pleurer.

Une ambulance est arrivée très rapidement, suivie de plusieurs auto-patrouilles.

À présent, on pense que la personne avec qui Tintin correspondait, une ordure, lui a tendu un traquenard. C'est la plus plausible des hypothèses.

Tintin a donné son téléphone cellulaire aux policiers pour qu'ils puissent analyser ses messages.

J'espère qu'on va retrouver ces asticots. Je ne peux pas croire qu'ils vont réussir à s'en sortir.

(...)

Une fois les examens passés – comme j'ai écrit plus tôt, le corps de Tintin devrait s'en remettre d'ici quelques semaines –, on lui a administré une dose d'antidouleurs qui l'a plongé dans un sommeil artificiel.

Je ne suis pas la seule à être furieuse : mon père et Fred aimeraient mettre la main sur les pourritures qui ont rossé Tintin.

En plein jour, en plus !

Je sais qu'on n'a pas le droit de se faire justice, mais des fois… Argh !

Ce pauvre Tintin était si heureux d'avoir enfin rencontré quelqu'un qui l'accepte comme il est. Il a fallu que ce soit un homophobe.

Je suis dépassée par les évènements. Complètement.

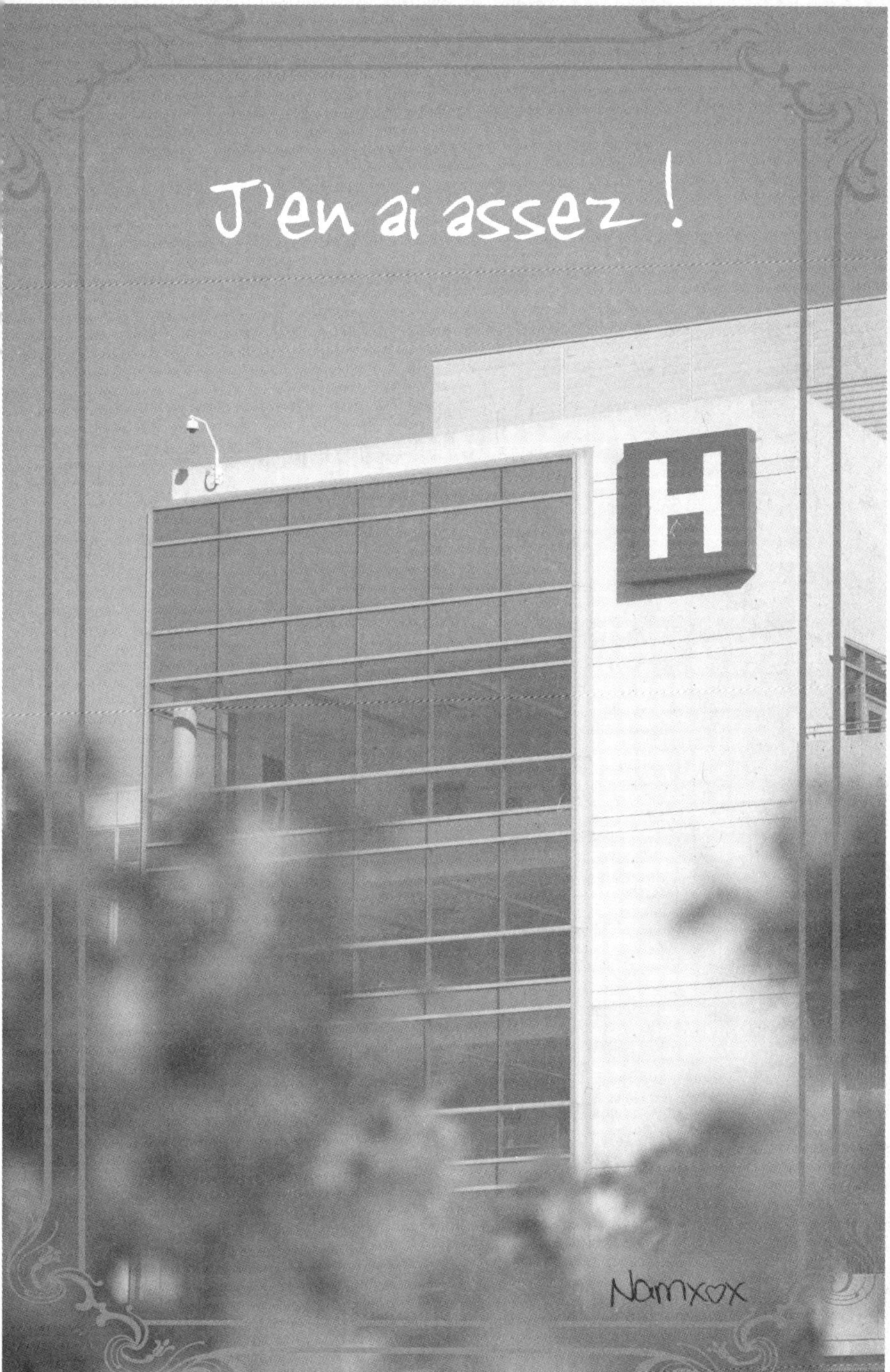
J'en ai assez !
Namxox

Publié le 22 mai à 11 h 58
Humeur: révoltée

> **Pour toi, Tintin**

Nous sommes allés en famille à l'hôpital ce matin. Je ne pensais jamais remettre les pieds à cet endroit aussi rapidement.

J'en ai marre de l'hôpital. Marre, marre, marre.

Tintin est mal en point. Plus qu'hier. Son visage est tuméfié, on dirait qu'il a livré un match de boxe de douze rondes contre un poids lourd.

Il a un tube branché directement dans son poumon pour évacuer le sang.

Le médecin nous a dit que c'était normal que son visage soit aussi enflé. Le contour de ses yeux est noir comme s'il s'était maquillé en raton laveur.

Quand nous sommes passés, il dormait. On ne l'a évidemment pas dérangé.

Pop a été en contact avec les enquêteurs. Ils recherchent activement le véhicule et son propriétaire. J'espère que ce n'est pas une auto volée.

(…)

Je vais publier un texte dans *L'Écho des élèves desperados* sur ce que Tintin a subi. J'ai écrit mon texte d'une seule traite, comme un cri du cœur.

«Lettre à une fille que j'aime,

Hier soir, une de mes amies a été victime d'un acte d'une violence abjecte. Cette fille, vous l'avez peut-être déjà croisée dans un corridor. Elle ressemble à un homme, mais elle porte des robes. Parce qu'elle est prisonnière d'un corps qui n'aurait pas dû être le sien.

Elle s'appelle Tintin, mais lorsqu'elle aura complété sa transformation dans quelques années, elle va porter un autre prénom. Isabelle? Audrey? Qui sait? Il vous arrive de vous trouver moche le matin? De maudire le monde entier parce qu'un bouton est apparu sur votre nez? De jurer contre vos cheveux qui sont hors de contrôle?

Imaginez un seul instant que le corps que vous voyez dans le miroir est en totale contradiction avec ce que vous êtes vraiment.

Pas un détail. TOUT votre corps vous dérange. Et ce, depuis que vous êtes tout petit.

Vous êtes un garçon. Comment réagiriez-vous si demain matin, vous vous réveilliez dans le corps d'une fille?

Vous êtes une fille. Comment réagiriez-vous si demain matin, vous vous réveilliez dans le corps d'un garçon?

Pour une journée, ce pourrait être rigolo. Une semaine, ce serait une expérience. Pour une vie? Ce serait l'enfer.

Dans le monde entier, dans toutes les cultures, il y a des trans. Dans certains pays rétrogrades, ces personnes doivent se cacher au risque d'être condamnées au pilori. Certaines sont même exécutées parce qu'elles sont considérées perverses.

Même si elle a souvent été qualifiée d'excentrique, Tintin n'a jamais souffert de harcèlement dans notre école, fort heureusement. Oui, on a ri d'elle à quelques reprises en raison de ses accoutrements hors du commun. On l'a même pointée du doigt en chuchotant. Mais personne n'a été violent avec elle, que ce soit psychologiquement ou physiquement.

Lorsqu'il y a eu des accrochages, Tintin s'est défendue avec la meilleure arme qui soit : l'humour.

Cette fois, personne n'entend à rire.

Pendant quelques jours, Tintin a correspondu avec un garçon de son âge qui s'intéressait à elle. Et surtout, qui respectait ce qu'elle était : une transsexuelle. Un être humain qui a reçu les mauvais ensembles de chromosomes et qui tente d'y trouver un sens.

La personne lui a fixé un rendez-vous galant.

Or, c'était un piège. Tintin a été battue. On lui a cassé des dents, fracturé des côtes et percé un poumon.

Tintin habite avec moi depuis plusieurs années. C'est la fille la plus gentille que je connaisse.

Sans m'étendre à propos de sa vie personnelle, elle a vécu beaucoup de rejet. Ma famille l'a acceptée telle qu'elle est.

Il est temps que la société en fasse autant. Toute la société.

Il est de la responsabilité de tous d'intervenir si on est témoin de propos haineux envers les minorités, visibles ou non. Que ce soit envers les Noirs, les homosexuels, les dodus, les trans, les roux ou les albinos, on doit accepter leurs différences parce que sans eux, notre société serait d'une homogénéité à faire pleurer.

Il faut être intolérant face à l'intolérance. C'est le seul moyen pour la race humaine de grandir.

J'ai créé une page de support pour Tintin. Le lien est à la fin de l'article. Si vous êtes touché par cette histoire, n'hésitez pas à cliquer dessus.»

J'ai relu mon texte, et je l'ai envoyé à monsieur Patrick pour qu'il le mette en ligne.

(...)

Fred vient de me dire que des journalistes s'intéressent au cas de Tintin. Tant mieux si ça peut nous aider à retrouver les coquerelles haineuses qui l'ont blessé.

Il fait dire
qu'il veut une revanche

Namxox

Publié le 22 mai à 16 h 20
Humeur : maussade

> À la chasse.

Monsieur Patrick a beaucoup aimé mon texte sur Tintin. Il l'a immédiatement mis en ligne et a envoyé un courriel à tous les élèves de l'école pour qu'ils le lisent. Bien hâte de voir combien de personnes vont supporter Tintin. Ça devrait être l'ensemble de l'école, mais je ne dois pas rêver en couleur. Tant qu'un problème n'affecte pas directement le confort des gens, ça les laisse souvent indifférents.

(…)

Tintin s'est réveillé, et il souffre le martyre (c'est le cas de le dire). Parait qu'une côte cassée et un poumon percé, c'est pénible. On lui donne régulièrement des antidouleurs.

Pas de nouvelle des policiers, mais Fred et moi avons décidé d'être proactifs.

Nous connaissons le nom d'utilisateur du fasciste qui a fait du mal à Tintin : Soleil_dhiver.

On a entré ce nom dans un engin de recherche, et il nous a mené à un site de rencontre. Malheureusement, sa fiche a été désactivée.

On a trouvé plusieurs autres références à Soleil_dhiver. L'une d'elles, sur la troisième page, nous a renvoyés vers un forum où, il y a deux ans, un Soleil_dhiver, dans une conversation portant sur les armes à feu, a écrit qu'il avait un autre pseudonyme : Beau_gars_95.

On a retrouvé un Beau_gars_95 sur un site de rencontre. Pour accéder à sa fiche, il a fallu créer un profil, ce qui nous a pris moins de deux minutes. On s'appelle Cybelle, on a vingt ans, on est super belle et on cherche l'amour de notre vie. Rien de plus banal.

Sur le site, Beau_gars_95 affiche une photo : un homme mince de dix-huit ou dix-neuf ans, cheveux bruns, en maillot de bain sur un bateau, le pouce en l'air.

Il se dit intéressé par les filles. Il ne faut pas oublier que Tintin, malgré les apparences, est une fille.

En lisant sa description, on comprend qu'il veut que l'on sache que c'est un chic type, qu'il est respectueux, ouvert d'esprit et qu'il traite les femmes en « gentleman ».

Peut-être est-ce l'aspect « ouvert d'esprit » qui a attiré Tintin ?

– C'est peut-être lui, m'a dit Fred.

– Aucune idée. Faudrait discuter un peu avec lui.

– Je sais ce que je vais faire, a dit Fred.

Mon frère a trouvé une photo d'une fille en bikini avec une poitrine impossible, un maquillage professionnel, une coiffure qui a pris deux heures à élaborer, des dents vraiment trop blanches et probablement un travail de Photoshop pour effacer tous les « défauts ». Bref, le genre de filles qui n'existent pas. ☺

Il l'a enregistrée sur le disque dur de l'ordi.

– Tu ne vas pas lui envoyer ça ? je lui ai demandé.

– Bah ouais. On va lui écrire qu'on est intéressés par sa fiche.

– Il ne va jamais nous croire. C'est trop gros.

– Tu parles des seins de la fille ?

– Hein ? Non. Je ne parle pas de ça. Je parle de cette approche. C'est pas subtil du tout. Y'a pas une fille comme ça qui a besoin d'un site de rencontre pour trouver un gars.

– Tu ne sais pas. Elle a peut-être mauvaise haleine. Elle est peut-être laide de l'intérieur. Elle mange peut-être du tofu. Une photo ne raconte pas tout.

– Il ne va jamais mordre à l'hameçon.

– Tu ne connais pas les gars, Nam. Il ne va y voir que du feu, je t'assure.

Fred avait raison : après lui avoir envoyé un message (« Salut, je te trouve mignon. Réécris-moi si tu n'as pas encore trouvé la perle rare. »), on a reçu une réponse une dizaine de minutes plus tard.

Parce qu'il était en ligne, on a pu clavarder.

Pendant une quinzaine de minutes, on a parlé de tout et de rien. On a appris – s'il nous a dit la vérité, bien entendu – qu'il travaille dans la construction, qu'il a deux chiens, qu'il est célibataire depuis cinq mois et que ses passes-temps préférés sont aller à la pêche et chasser l'orignal.

J'ai commencé à me sentir mal pour Beau_gars_95. On le manipulait comme une vulgaire marionnette. Je ne voulais pas lui donner de faux espoirs.

– Ce n'est sûrement pas lui, j'ai fait.

– Ouais, a répliqué Fred. Y'a pas l'air violent.

– À part ses trucs de pêche et de chasse. Il a une arme à feu, j'imagine. Et il s'attaque à de pauvres bêtes innocentes en utilisant des tactiques déloyales. C'est violent.

– T'es trop sensible, Nam.

– Tu sais quoi? Je pense que les chasseurs devraient être laissés à eux-mêmes dans la forêt. Là, ce serait un exploit s'ils parvenaient à tuer un orignal à mains nues. Ou avec une branche pointue taillée avec un canif. Sans les armes à feu, les chasseurs se feraient massacrer. Et ce serait les orignaux qui poseraient la tête des chasseurs sur le capot de leur auto. Et sur le mur de leur salon.

– OK, oui, peut-être. Mais là, on fait quoi?

J'ai réfléchi quelques instants.

– Trouve un lien sur un article portant sur ce que Tintin a vécu. Et envoie-le-lui.

– Pourquoi?

– On lui dira que ce n'est pas à lui que c'était destiné. On va voir sa réaction.

Fred s'est exécuté.

La réponse ne s'est pas faite attendre.

Beau_gars_95: Pk tu envoi ça?

Cybelle: Désolée! Ce n'était pas pour toi.

Beau_gars_95: C'étai pr ki?

Cybelle: Une amie.

Beau_gars_95: Pk tu lui envoi sa?

Cybelle: Pour rien.

Beau_gars_95: Allé, dit moi.

Parce qu'il nous a ouvert la porte, nous sommes entrés.

Cybelle : Parce que ça fait un pervers de moins. :)

Beau_gars_95 : Toi aussi tu trouve sa ? Oh… Intéressant.

Cybelle : Ouais. On a la même opinion ?

Beau_gars_95 : Ouais. Je les aim pas. Je les détest en fait. Ça m'a fait mal au cœur, mais j'ai continué à jouer le jeu.

Cybelle : On est faits pour être ensemble !

Beau_gars_95 : Ouais. Cé drole que tu m'envoi ce lien. Cé peut être un signe.

Cybelle : Un signe de quoi ?

Beau_gars_95 m'a alors envoyé un fichier image. Je l'ai ouvert, la nausée m'a envahie.

Lorsque je le l'ouvre, la nausée m'envahit.

Bien hâte qu'un
jour on jure sur une
de mes oeuvres

Namxox

> **Il a été arrêté.**

Il s'appelle Jonathan, il a vingt-deux ans. Et dans ses temps libres, il aime tabasser avec un de ses amis des gars qui sont différents d'eux, comme des homosexuels et des trans.

C'est ce que l'enquêteur a dit à Pop quand il lui a parlé.

Je ne le savais pas, mais en six mois, dans la ville, il y a eu cinq crimes haineux. Un gars a retrouvé son automobile recouverte de graffitis insultants, un autre a vu les fenêtres de sa maison salies avec des œufs, un autre a été harcelé au téléphone et par texto, et deux autres ont été battus (dont Tintin).

Ce n'est pas un acte isolé : les policiers cherchaient les malfaiteurs depuis plusieurs mois.

Leur manière de procéder était toujours la même : créer un faux profil sur un site de rencontre, charmer un homme homosexuel ou trans, puis le rencontrer afin de l'humilier ou de le battre.

Dès que Fred et moi avons eu la confirmation que Beau_gars_95 était l'un des agresseurs de Tintin, on a appelé Pop, qui a contacté immédiatement les policiers.

Cybelle a aussi réussi à lui soutirer son numéro de téléphone cellulaire en lui promettant de l'appeler dans la soirée.

Quelle preuve a-t-on obtenue pour nous convaincre que Beau_gars_95 était bel et bien l'ordure qu'on cherchait?

Il nous a fait parvenir une photo de Tintin après qu'il l'eût tabassé. 😲

Une photo qui va me marquer à vie.

Tu parles d'un psychopathe…

Nous ne sommes pas seuls responsables de l'arrestation.

Tintin, qui avait mémorisé la marque de l'automobile et une partie de la plaque d'immatriculation, a aidé les enquêteurs. Les caméras de surveillance aux alentours ont permis assez aisément de mettre la main sur eux.

Je suis contente d'avoir pu aider. Notre dénonciation a probablement permis à d'autres gens comme Tintin d'éviter de se faire brutaliser.

Même si je sais que Jonathan et son ami ne font partie que d'une petite minorité de gens, c'est troublant de savoir qu'ils existent et que l'on peut les côtoyer en allant à l'épicerie ou à la bibliothèque (quoique ça me surprendrait que ces gens aient déjà lu un livre dans leur vie).

(…)

La réponse au texte que j'ai écrit est bonne. Cinquante-deux personnes ont cliqué «J'aime» sur la page de j'ai créée pour Tintin. 😊

Il y a de l'espoir pour l'humanité.

Parlant de Tintin, rien de neuf de son côté. Son état est stable. S'il n'y a pas de complications, il devrait passer encore une semaine à l'hôpital, le temps que son poumon reprenne du mieux.

Pop m'a dit qu'il souffrait d'un pneumothorax. Les médecins lui ont carrément planté un drain dans la cage thoracique, relié à un genre d'aspirateur pour retirer tout l'excédent d'air et faciliter la guérison du poumon.

À part quelques cicatrices et un nez un peu différent, il ne devrait pas garder de séquelles.

(…)

J'en parlais à Grand-Papi, et depuis que j'ai commencé ce blogue, il me semble que ma vie est allée en s'accélérant parce que j'ai vécu mille péripéties.

J'ai relu certains de mes billets pour les donner à mon éditrice, et ouf! que de chemin parcouru depuis que je me demandais, il y a un peu moins de deux ans, qui lisait mon journal intime.

À l'époque, si j'avais su ce qui allait se passer… La mort de Zac, le déménagement, les chums (un peu *weird*), le mystère du t-shirt, mon renard (Haïme!), ma nouvelle *best* Kim, la blonde de Grand-Papi, mon travail au centre commercial au royaume du père Noël (l'autruche!), notre voyage dans le Sud, les élections scolaires, l'impro, les nombreuses bêtises de mon frère, sa vidéo virale, *L'Écho des élèves desperados*, la maladie de Mom et j'en passe… Ouf! Que d'aventures! 😌

Je sais que je ne suis pas une ado comme les autres. Pourquoi? Parce que *TOUTES* les ados sont différentes. Il n'y en a pas une qui se ressemble.

Je suis persuadée que si je lisais le blogue d'une fille de mon âge, je le trouverais fascinant.

La question qui tue : est-ce que mon histoire pourrait intéresser quelqu'un ? J'en doute. Ma vie n'est pas plus spéciale que celle, disons, de Kim. Ou d'une ado qui habite à cent kilomètres d'ici et que je ne connais pas.

Des fois, je me dis que mon éditrice est tombée sur la tête. Qui va vouloir lire mes facéties ? Qui va les trouver captivantes ?

Je ne suis pas la seule à avoir des hauts et des bas. Ça arrive à tout le monde. La différence est que j'ai décidé de les écrire.

On a tous des vies palpitantes, parfois heureuses, parfois malheureuses, mais jamais ennuyantes.

Si je tire une leçon du *Blogue de Namasté* – c'est comme ça que je l'ai appelé, pas super original comme nom, je sais, j'ai failli l'appeler *La vie d'une top modèle ratée*, mais comme je cultive toujours le but ultime d'en devenir une, je ne peux pas encore dire que c'est «raté», mais ça s'en vient –, c'est qu'on peut apprendre dans toutes les situations, qu'elles soient agréables ou non.

C'est ça, vieillir : accumuler des expériences, essayer de ne pas refaire les mêmes erreurs et vivre chaque situation au maximum. Comme ça, on n'a pas de regrets.

Je ne cacherai pas que je songe sérieusement à arrêter l'écriture de ce blogue. Depuis plusieurs mois, je m'applique presque tous les jours, des fois plusieurs fois par jour, à écrire ma vie. Parce que je ne suis pas capable de faire les choses à moitié, je commence à être fatiguée.

J'ai intégré à ce blogue plus de cinq cents images.

Depuis le début, j'ai écrit plus de sept cent mille mots. Sept cent mille! C'est fou!

La Bible en compte sept cent soixante-quinze mille. Sauf qu'elle a été écrite sur une période de mille six cents ans par quarante auteurs différents pendant quarante générations.

Moi, j'ai été seule.

C'est là que s'arrête la comparaison. Je n'ai pas été traduite en quatre cent soixante-et-onze langues, il n'y a aucun homme avec douze doigts et douze orteils, je ne connais aucun père qui a eu quatre-vingt-huit enfants, et personne n'est mort à neuf cent soixante-neuf ans comme Mathusalem.

Je pourrais faire une blague avec les homophones « saints » et « seins », mais je vais me retenir parce que ce n'est pas du tout mon genre.

Pas.

Du.

Tout.

Je ne sais pas si je vais réécrire. Je dois prendre le temps de me reposer.

Je ne sais pas s'il s'agit d'adieux ou d'un simple au revoir.

> **Un dernier mot (plusieurs, en fait).**

Présentement, Fred est à son après-bal avec Léana, dans le chalet des parents d'un ami. Tintin aussi, avec son chum. C'est un gars qui l'a contacté après avoir entendu parler de lui et de son histoire dans les médias.

Ils forment un beau couple.

Je suis persuadée que Fred a beaucoup de plaisir, mais qu'il est pas mal nerveux. Ce sera la première fois qu'il va présenter publiquement son court-métrage *La revanche du nain géant II.*

Je l'ai vu, et wow ! c'est mauvais. Tellement que c'est bon : le genre de films que j'aime ! Scénario incohérent, effets spéciaux approximatifs et direction des acteurs inexistante : psychotronique !

Mais ce n'est pas de son film que Fred devrait être le plus fier : après tous ces mois à essayer de devenir populaire, à réaliser quelque chose qui le sortirait de la masse, il y est enfin parvenu. Moi qui pensais qu'il était destiné à réaliser jusqu'à la fin des temps des prouesses insignifiantes, je me suis (encore) trompée.

Fred a eu l'idée du siècle. Une idée devenue virale qui fait avancer les choses. Une idée farfelue, mais qui frappe les esprits. Une idée pour rendre hommage à notre sœur de cœur, Tintin.

Il a lancé un défi à tous ses amis : porter une robe lors du bal des finissants. Une geste pour combattre les préjugés.

Au départ, quand il m'a annoncé son idée, j'ai cru à une blague. Porter une robe au lieu d'un smoking un jour aussi important où des centaines de photos vont être prises ? De la (belle) folie !

L'accident de Tintin a fait réfléchir Fred. Ça l'a fait vieillir.

Têtu comme il est, Fred a persisté. Et il en a parlé à ses amis.

Certains ont embarqué. Puis, il y a eu un effet boule de neige. Des profs ont dit qu'ils allaient le faire. Et même monsieur M., le directeur.

Fred a créé une page pour l'événement et a invité d'autres garçons à faire comme lui. Des médias traditionnels en ont parlé, et voilà ! ☺

Même l'école de Wolfie y participe.

Ce ne sont pas tous les gars qui l'ont fait, bien entendu. Mais je dirais que le tiers a embarqué dans l'aventure.

Zoukini ! C'est excellent ! Je suis super fière de Fred.

Mais Fred reste Fred. Il a fallu qu'il y ajoute ses touches de magie.

Pour l'occasion, il s'est rasé les jambes.

Un carnage : on dirait qu'il a utilisé une tondeuse à pelouse. Il a plein de petits morceaux de kleenex sur les tibias et les mollets.

Aussi, il a tenu à porter des talons hauts.

Un carnage : il marchait comme si on venait de le tourner sur lui-même cent fois après l'avoir assommé avec un poêlon en fonte.

Enfin, il a insisté pour se maquiller. Orgueilleux, il n'a pas voulu que sa blonde ni moi l'aidions.

Un carnage : on aurait dit qu'un clown lui avait explosé en plein visage.

Malgré tout, je suis fière de lui. Je sais que je l'ai déjà écrit, mais je tiens à le répéter.

(…)

Un autre qui me rend fier est Pop. Pendant vingt jours, il a fait une cure de désintoxication dans un centre fermé. On pouvait se parler au téléphone, mais on ne se voyait pas.

Vingt jours à vivre avec Grand-Papi ; j'ai donc passé quelques repas à me gaver de réglisses rouges.

Pop a fait sa cure avec Rachel, et aujourd'hui, c'est son premier mois de sobriété complète.

Il m'a dit que son alcoolisme était en lien direct avec la relation qu'il avait avec son père, lui aussi alcoolique, mais également violent.

Il doit faire la paix avec son passé. Ça ne prend pas une semaine, un mois ou une année. C'est l'histoire d'une vie.

Un jour à la fois, comme il dit.

(…)

Wolfie et moi, on résiste aux affres du temps. Déjà cinquante ans ensemble ! Il me semble qu'hier, nous étions des adolescents jeunes et innocents.

C'est toujours le gars le plus gentil du monde, et j'ai toujours des sentiments pour lui.

Mais je ne crois pas que c'est l'homme de ma vie.

Cet été, il va s'exiler loin de la ville pour travailler chez une de ses tantes, dans une ferme.

On ne se verra pas pendant deux mois.

Je sais que je vais m'ennuyer de lui, mais je ne sais pas à quel point.

(...)

Grand-Papi va bien, même s'il vit une période de deuils successifs.

Après Mom, un de ses amis est décédé d'un arrêt cardiaque.

Il en marre que les gens décèdent autour de lui.

Je lui ai promis que je n'allais pas mourir. Pas maintenant. Il me reste encore quatre-vingts ans à vivre.

Parlant de la mort, vu que ma grand-mère maternelle et ma mère sont décédées d'un cancer du sein, mes «chances» d'en développer un sont donc deux fois plus grandes que la moyenne.

Faudra que je sois prudente.

Je me dis que dans vingt ou trente ans, la science aura peut-être trouvé un remède.

Entre temps, j'ai décidé de faire du bénévolat. Moi qui ne voulais plus remettre les pieds à l'hôpital, j'y passe quatre heures par semaine à aider les enfants malades. Je joue avec eux, je leur lis des histoires, je les écoute.

C'est super plaisant.

J'ai participé à mon premier salon du livre. C'était intimidant! J'étais entourée de vrais écrivains, qui ont été très gentils avec moi.

Mon éditrice m'en a présenté un. Il écrit des romans pour les ados. Il va m'aider à retravailler mon blogue pour en faire une série de romans. Il dit qu'il est persuadé que ça pourrait connaître un succès.

On verra.

La série va s'appeler, comme je l'ai déjà mentionné, *Le blogue de Namasté*. On ne pourra pas nous accuser de fausse publicité. C'est exactement ce que c'est : mon blogue.

Mon éditrice prévoit plusieurs tomes. Combien? Aucune idée.

Trois? Six? Huit? Vingt? Ah! Ah! Vingt tomes, c'est absurde. Ce que je peux en écrire des niaiseries, parfois!

P.-S. : Mammouth.

Toujours disponibles en librairie
LES AVENTURES DU FABULEUX NEOMAN

Le fabuleux Neoman
Tome 1.1
Le projet N

Le fabuleux Neoman
Tome 1.2
L'effet domino

Le fabuleux Neoman
Tome 1.3
La méthode Inferno

Le fabuleux Neoman
Tome 2.1
La théorie du chaos

Le fabuleux Neoman
Tome 2.2
Erreur 1976

Du même auteur
Dans la collection PAKKAL

Pakkal XII — *Le fils de Bouclier*
Éditions La Semaine, 2010

Pakkal XI — *La colère de Boox*
Éditions La Semaine, 2009

Pakkal X — *Le mariage de la princesse Laya*
Éditions Marée Haute, 2008

Pakkal IX — *Il faut sauver l'Arbre cosmique*
Éditions Marée Haute, 2008

Le deuxième codex de Pakkal, hors série
Éditions Marée Haute, 2008

Pakkal VIII — *Le soleil bleu*
Les Éditions des Intouchables, 2007

Circus Galacticus — *Al3xi4 et la planète de cuivre*
Éditions Marée Haute, 2007

Pakkal VII — *Le secret de Tuzumab*
Les Éditions des Intouchables, 2007

Pakkal VI — *Les guerriers célestes*
Les Éditions des Intouchables, 2006

Pakkal V — *La revanche de Xibalbà*
Les Éditions des Intouchables, 2006

Pakkal IV — *Le village des ombres*
Les Éditions des Intouchables, 2006

Le codex de Pakkal, hors série
Les Éditions des Intouchables, 2006

Pakkal III — *La cité assiégée*
Les Éditions des Intouchables, 2005

Pakkal II — *À la recherche de l'Arbre cosmique*
Les Éditions des Intouchables, 2005

Pakkal I — *Les larmes de Zipacnà*
Les Éditions des Intouchables, 2005

**Du même auteur
Dans la collection
GRAND-PEUR**

et... le plus récent tome de la collection
GRAND-PEUR...
en vente partout !

 Pour des concours,
des nouvelles exclusives et
des mammouths (mettons),
joins-toi à la communauté
Facebook des **27 000 fans** du
Blogue de Namasté !

www.lebloguedenamaste.com